LE PALAIS DE MINUIT

DU MÊME AUTEUR

Chez le même éditeur

Le Jeu de l'ange, 2009
Marina, 2011
Le Prince de la Brume, 2011

CARLOS RUIZ ZAFÓN

LE PALAIS DE MINUIT

roman

traduit de l'espagnol par François Maspero

ROBERT LAFFONT

Titre original : EL PALACIO DE LA MEDIANOCHE
© Carlos Ruiz Zafón, 1994
© Editorial Planeta, S.A., 2007
Traduction française : Éditions Robert Laffont, S.A., Paris, 2012

ISBN 978-2-221-12291-4
(édition originale : ISBN 978-84-08-07279-9 Editorial Planeta, S.A.,
Barcelone)

Pour MariCarmen

Note de l'auteur

Ami lecteur,

Le Palais de Minuit est mon deuxième roman, et il a été publié en Espagne, en 1994. Les lecteurs familiers de mes dernières œuvres, comme *L'Ombre du vent* et *Le Jeu de l'ange,* ne savent peut-être pas que mes quatre premiers romans ont été publiés sous forme de « livres pour la jeunesse ». Bien qu'ils aient surtout visé un jeune public, mon souhait était qu'ils puissent plaire à des lecteurs de tous âges. Avec ces livres, j'ai tenté d'écrire le genre de romans que j'aurais aimé lire quand j'étais adolescent, mais qui continueraient encore à m'intéresser à l'âge de vingt-trois, quarante ou même quatre-vingt-trois ans.

Pendant des années, les droits de ces livres sont restés « piégés » dans des querelles juridiques, mais aujourd'hui enfin des lecteurs du monde entier peuvent en profiter. Depuis leur première publication, j'ai eu la chance de voir ces œuvres de mes débuts bien accueillies par un public de jeunes lecteurs et aussi de moins jeunes. J'aime croire que ces contes sont faits pour tous les âges, et j'espère que des lecteurs de mes romans pour adultes auront envie d'explorer ces histoires de magie, de mystères et d'aventures. Et, pour terminer, je souhaite à tous mes nouveaux lecteurs de prendre autant de plaisir à ces romans que lorsqu'ils ont commencé à s'aventurer dans le monde des livres.

Bon voyage.

Carlos Ruiz Zafón
Février 2010

*J*amais je ne pourrai oublier la nuit où il a neigé sur Calcutta. Le calendrier de l'orphelinat St. Patrick's égrenait les derniers jours de mai 1932 et laissait derrière nous un des mois les plus chauds de l'histoire de la ville des palais.

Jour après jour nous attendions avec tristesse et crainte l'arrivée de cet été où nous atteindrions l'âge de seize ans, ce qui signifiait notre séparation et la dissolution de la Chowbar Society, ce club secret réservé exclusivement à sept membres qui avait été notre véritable foyer durant nos années d'orphelinat. Nous y avions grandi sans autre famille que nous-mêmes et sans autres souvenirs que les histoires que nous nous racontions aux petites heures de la nuit autour du feu, dans la cour de la vieille demeure abandonnée qui se dressait au coin de Cotton Street et de Barbourne Road, une grande bâtisse en ruine que nous avions baptisée le Palais de Minuit. Je ne savais pas alors que ce serait la dernière fois que je verrais ce lieu dont les rues ont servi de cadre à mon enfance et dont les sortilèges m'ont poursuivi jusqu'aujourd'hui.

Je ne suis pas retourné à Calcutta depuis, mais je suis

toujours resté fidèle à la promesse que nous nous étions faite en silence sous l'averse blanche, aux rives du fleuve Hooghly : ne jamais oublier ce que nous avions vu. Les années m'ont appris à garder comme un trésor dans ma mémoire tout ce qui s'est passé ces jours-là et à conserver les lettres que je recevais de la cité maudite, qui ont maintenu vivante la flamme de mon souvenir. J'ai su ainsi que l'on a démoli notre vieux Palais pour édifier sur ses décombres un immeuble de bureaux, et que Mr Thomas Carter, le directeur de St. Patrick's, est mort après avoir passé les dernières années de sa vie dans l'obscurité due à l'incendie qui lui avait ôté la vue à jamais.

Au fil des ans, j'ai eu des nouvelles de la disparition progressive du cadre où nous avons vécu alors. La fureur d'une ville qui se dévorait elle-même et le mirage du temps qui passe ont fini par effacer les traces de la Chowbar Society.

C'est ainsi que, n'ayant pas le choix, j'ai dû apprendre à vivre avec la peur de voir cette histoire se perdre pour toujours, faute de narrateur.

L'ironie du sort a voulu que ce soit moi, le moins indiqué, le moins doué pour une telle tâche, qui entreprenne de la raconter et de dévoiler le secret qui, il y a bien des années, nous a unis puis à jamais séparés dans l'ancienne gare de chemin de fer de Jheeter's Gate. Il aurait été préférable que ce soit un autre qui se voie chargé de sauver cette histoire de l'oubli, mais, une fois de plus, la vie m'a montré que mon rôle était d'être un témoin, et non un personnage à part entière.

Durant toutes ces années, j'ai conservé les rares lettres de Ben et de Roshan, gardant précieusement les documents qui mettaient en lumière la destinée de chacun des membres de notre société particulière, les relisant souvent à haute voix dans la solitude de mon cabinet. Peut-être parce que j'avais *l'intuition que le sort avait fait de moi le dépositaire de la mémoire de tous. Peut-être parce que je comprenais que, de ces sept garçons, j'avais toujours été le plus réticent à prendre des risques, le moins brillant et le moins audacieux, et, de ce fait même, celui qui avait le plus de chances de survivre.*

C'est dans cet esprit, et en espérant que mes souvenirs ne me trahiront pas, que j'essaierai de revivre les événements mystérieux et terribles qui se sont produits au cours de ces quatre jours brûlants de 1932.

Ce ne sera pas aisé et j'en appelle à la bienveillance de mes lecteurs pour les maladresses de ma plume à l'heure de faire remonter du passé cet été de ténèbres dans la ville de Calcutta. J'ai employé toutes mes forces à reconstituer la réalité et à revenir aux troubles épisodes qui devaient tracer inexorablement la ligne de notre destin. Il ne me reste plus qu'à disparaître de la scène pour permettre aux seuls faits de parler d'eux-mêmes.

Jamais je n'oublierai les visages désolés de ces garçons, la nuit où il a neigé sur Calcutta. Mais, comme mon ami Ben m'a appris à le faire, je commencerai mon histoire par le début…

Le retour de l'obscurité

Calcutta, mai 1916

P eu après minuit, une grosse barque émergea de la brume nocturne qui montait de la surface du Hooghly comme la puanteur d'une malédiction. À l'avant, sous la faible clarté projetée par une chandelle agonisante fixée au mât, on devinait la forme d'un homme enveloppé dans une cape en train de ramer laborieusement vers la rive lointaine. Au-delà, à l'ouest, dans le quartier du Maidan, les contours de Fort William se dressaient sous une couche de nuages de cendre à la lumière d'un suaire infini de lanternes et de foyers qui s'étendait à perte de vue. Calcutta.

L'homme s'arrêta quelques secondes pour reprendre haleine et contempler la silhouette de la gare de Jheeter's Gate qui se perdait définitivement dans les ténèbres recouvrant l'autre côté du fleuve. À chaque mètre qu'il faisait en s'enfonçant dans la brume, la gare en acier et en verre se confondait davantage avec tous les autres édifices ancrés dans des splendeurs disparues. Ses yeux errèrent sur cette forêt de coupoles de marbre noirci par des décennies d'abandon et de murs nus dont la fureur de la mousson avait arraché la peau ocre, bleu et doré, les dessinant comme des aquarelles diluées dans une flaque d'eau.

Seule la certitude qu'il ne lui restait que quelques heures à vivre, voire quelques minutes, lui permettait de poursuivre sa route en abandonnant dans les profondeurs de ce lieu maudit la femme qu'il avait juré de protéger au prix de sa propre vie. Cette nuit, tandis que le lieutenant Peake entreprenait son dernier parcours dans Calcutta à bord d'une vieille barque, chaque seconde de son existence s'évanouissait sous la pluie qui s'était mise à tomber à la faveur de l'aube proche.

Pendant qu'il luttait pour traîner l'embarcation vers la rive, le lieutenant entendait les pleurs des deux enfants cachés dans la cale. Peake se retourna et constata que les feux de l'autre barque clignotaient à une centaine de mètres à peine derrière lui, gagnant du terrain. Il imaginait le sourire de son poursuivant, savourant la chasse, inexorable.

Il ignora les larmes de faim et de froid des enfants et consacra toutes les forces qui lui restaient à guider l'embarcation vers le bord du fleuve, qui venait mourir au seuil du labyrinthe insondable et fantasmatique des rues de Calcutta. Deux cents ans avaient suffi à transformer la jungle dense qui poussait aux alentours du Kalighat en une cité où jamais Dieu lui-même ne prendrait le risque d'entrer.

En quelques minutes, la tourmente s'était abattue

avec la rage d'un esprit destructeur. À partir de la mi-avril et jusque dans le courant du mois de juin, la ville se consumait entre les griffes de ce qu'on appelle l'été des Indes. Au fil de ces jours, elle supportait des températures de 40 degrés et un niveau d'humidité à la limite de la saturation. Sous l'influence de violentes tempêtes électriques qui transformaient le ciel en un linceul de poudre noire, les thermomètres pouvaient descendre de trente degrés en quelques secondes.

La nappe torrentielle voilait la vision des quais rachitiques en madriers pourris qui se balançaient au-dessus du fleuve. Peake ne relâcha pas son effort avant d'avoir senti le choc de la coque contre les piliers du quai de pêcheurs et, alors seulement, il planta la perche dans l'eau boueuse et se hâta d'aller chercher les enfants, couchés sous une couverture. Quand il les prit dans ses bras, leurs pleurs se répandirent dans la nuit telle la traînée de sang qui guide le prédateur jusqu'à sa proie. Peake les serra contre sa poitrine et sauta à terre.

À travers l'épais rideau de pluie qui tombait furieusement, on pouvait voir l'autre barque approcher de la berge comme une nef mortuaire. Cravaché par la panique, Peake courut vers les rues qui bordaient le parc du Maidan par le sud et disparut dans les ombres de ce tiers de la ville que ses habitants privilégiés, européens et britanniques pour la plupart, appellent la *ville blanche*.

Il lui restait encore un espoir, un seul, de sauver la vie des enfants, mais il était encore loin du cœur du secteur nord de Calcutta, où se dressait la résidence d'Aryami Bosé. Cette vieille dame était désormais l'unique personne qui puisse l'aider. Peake s'arrêta un instant et scruta l'immensité ténébreuse du Maidan, à la recherche de l'éclat lointain des petites lanternes qui dessinaient des étoiles vacillantes au nord de la ville. Les rues obscures et masquées par le voile de la tempête seraient sa meilleure protection. Il serra les enfants avec force et s'éloigna de nouveau vers l'est, en quête de l'ombre protectrice des grandes demeures aristocratiques du centre de la ville.

Quelques instants plus tard, la grosse barque noire qui lui avait donné la chasse s'arrêta devant le quai. Trois hommes sautèrent à terre et l'amarrèrent. La porte de la cabine s'ouvrit lentement. Une silhouette enveloppée d'un manteau noir parcourut la passerelle que les hommes avaient jetée depuis le quai, ignorant la pluie. Une fois à terre, elle tendit une main prise dans un gant également noir et, indiquant le point où Peake avait disparu, esquissa un sourire qu'aucun des trois hommes ne distingua dans la tourmente.

La route obscure et sinueuse qui traversait le Maidan et bordait la forteresse s'était transformée en bourbier sous les assauts de la pluie. Peake se souvenait vaguement d'avoir sillonné cette partie de la ville au temps des combats de rue sous les ordres du colonel Llewelyn, en plein jour et sur un cheval, avec un escadron assoiffé de sang. Ironiquement, le destin l'obligeait maintenant à parcourir cette étendue de terrain à découvert que Lord Clive avait fait raser en 1758 pour que les canons de Fort William puissent tirer librement dans toutes les directions. Mais cette fois, c'était lui le gibier.

Le lieutenant courut désespérément vers les arbres, tout en se sentant suivi par les regards furtifs de veilleurs silencieux cachés dans l'ombre, habitants nocturnes du Maidan.

Il savait que personne ne sortirait à son passage pour l'agresser et tenter de lui arracher sa cape ou les enfants qui pleuraient dans ses bras. Les habitants invisibles de ces lieux flairaient l'odeur de la mort collée à ses talons, et nul n'oserait se mettre en travers du chemin de son poursuivant.

Il passa les grilles qui séparaient le Maidan de Chowringhee Road et pénétra dans l'artère principale de Calcutta. La majestueuse avenue suivait l'ancien chemin qui, à peine trois cents ans plus tôt, traversait la jungle bengalie en direction du sud, vers le Kalighat, le temple de Kali, qui, à l'origine, avait donné son nom à la ville.

L'habituelle faune nocturne qui rôdait dans les nuits de Calcutta avait battu en retraite devant l'averse, et la ville offrait l'aspect d'un grand bazar abandonné et sale. Peake savait que le rideau de pluie qui entravait la vision et lui servait de protection dans la nuit noire risquait de s'évanouir aussi vite qu'il était apparu. Les tempêtes qui montaient de l'océan jusqu'au delta du Gange s'éloignaient rapidement vers le nord ou l'ouest après avoir déchargé leur déluge purificateur sur la péninsule du Bengale, laissant une traînée de brumes et des rues obstruées de flaques putrides où les enfants jouaient, enfoncés jusqu'à la ceinture, et où les chariots restaient échoués tels des bateaux à la dérive.

Le lieutenant courut vers l'extrémité nord de Chowringhee Road. Les muscles de ses jambes faiblissaient sous le poids des enfants dans ses bras qui se faisait de plus en plus lourd. Les lumières du secteur nord clignotaient, proches, sous le rideau de velours de la pluie. Il était conscient de ne pouvoir tenir ce rythme plus longtemps et savait que la maison d'Aryami Bosé était encore loin. Il lui fallait marquer une pause.

Il s'arrêta pour reprendre son souffle sous l'escalier d'un entrepôt de tissus dont les murs étaient tapissés d'affiches annonçant la prochaine démolition par ordre des autorités. Il se rappelait vaguement avoir inspecté les lieux des années auparavant, sur la dénonciation d'un riche négociant qui affirmait que l'intérieur abritait une importante fumerie d'opium.

Maintenant, l'eau sale s'infiltrait entre les marches délabrées et évoquait un sang noir jaillissant d'une blessure profonde. Le lieu paraissait désolé et désert. Le lieutenant leva les enfants à la hauteur de son visage et contempla les yeux atones des bébés ; ils ne pleuraient plus, mais ils grelottaient de froid. La couverture qui les enveloppait était trempée. Peake prit leurs menottes dans ses mains avec l'espoir de les réchauffer tout en observant par les fentes de l'escalier les rues qui sortaient du Maidan. Il ne se rappelait pas combien d'assassins son poursuivant avait recrutés, mais il savait qu'il n'avait plus que deux balles dans son revolver ; deux balles qu'il devait utiliser avec toute l'intelligence qu'il était capable de rassembler ;

il avait tiré les autres dans les tunnels de la gare. Il couvrit de nouveau les enfants avec le bord le moins mouillé de la couverture et les posa pour quelques secondes sur le morceau de sol sec que l'on devinait sous une anfractuosité dans le mur de l'entrepôt.

Peake sortit son revolver et passa lentement la tête sous les marches. Au sud, Chowringhee Road, déserte, ressemblait à une scène fantôme attendant le début de la représentation. Le lieutenant força la vue et reconnut le sillage de lumières lointaines sur l'autre côté du Hooghly. Le bruit de pas pressés sur les pavés inondés par la pluie le fit sursauter et il rentra dans l'ombre.

Trois individus émergèrent de l'obscurité du parc du Maidan, un sombre reflet de Hyde Park dessiné en pleine jungle tropicale. Les lames de leurs couteaux brillèrent dans la pénombre comme des langues d'argent incandescent. Peake se dépêcha de reprendre les enfants dans ses bras et respira profondément, conscient que, s'il fuyait à cet instant, les hommes se jetteraient sur lui en un clin d'œil comme une meute affamée.

Le lieutenant demeura immobile contre le mur de l'entrepôt et surveilla ses poursuivants, qui s'étaient arrêtés pour chercher sa trace. Les trois tueurs à gages échangèrent des paroles inintelligibles et l'un d'eux fit signe aux autres de se diviser. Peake frissonna en constatant que celui qui avait donné cet ordre se dirigeait droit vers l'escalier sous lequel il se dissimulait. L'espace d'une seconde, il pensa que l'odeur de sa peur allait conduire l'homme jusqu'à sa cachette.

Ses yeux parcoururent désespérément la surface du mur, à la recherche d'une ouverture par où s'échapper. Il s'agenouilla près de l'anfractuosité où, peu avant, il avait déposé les enfants et tenta de forcer les grosses planches déclouées et ramollies par l'humidité. Le bois, rongé par la pourriture, céda sans difficulté. Peake sentit une exhalaison d'air nauséabond qui émanait de l'intérieur du sous-sol du bâtiment en ruine. Il jeta un regard en arrière et vit que le tueur se trouvait à une vingtaine de mètres à peine du pied de l'escalier, le couteau à la main.

Il roula les enfants dans sa propre cape pour les protéger et rampa vers l'intérieur de l'entrepôt. Une violente douleur, juste au-dessus du genou, lui paralysa subitement la jambe droite. Il la tâta d'une main tremblante et ses doigts touchèrent le clou rouillé qui s'était enfoncé dans la chair. Étouffant un cri, il saisit l'extrémité du métal froid et tira dessus avec force. Sa peau se déchira et le sang tiède jaillit sous ses doigts. Un spasme de nausée et de souffrance lui voila la vue pendant plusieurs secondes. Haletant, il reprit les enfants et se releva laborieusement. Devant lui s'ouvrait une galerie fantomatique. Des centaines d'étagères vides, sur plusieurs étages, formaient un étrange maillage qui se perdait dans l'ombre. Sans hésiter, il courut vers l'autre extrémité de l'entrepôt, dont les structures blessées à mort craquaient sous la tempête.

Après un long parcours dans les entrailles de ce bâtiment en ruine, Peake émergea de nouveau à l'air libre. Il découvrit qu'il se trouvait tout juste à une centaine de mètres du Tiretta Bazar, un des nombreux centres de commerce de la zone nord. Il bénit le sort et se dirigea vers l'écheveau compliqué de rues étroites et sinueuses qui composaient le cœur de ce quartier bigarré de Calcutta, en direction de la résidence d'Aryami Bosé.

Il mit dix minutes à parcourir le chemin menant au domicile de la dernière dame de la famille Bosé. Aryami vivait seule dans une antique demeure de style bengali s'élevant derrière l'épaisse végétation qui avait poussé dans la cour des années durant, sans l'intervention de la main de l'homme, et lui conférait l'aspect d'un lieu abandonné et clos. Pourtant, pas un habitant du nord de Calcutta, une zone également connue comme la *ville noire*, n'aurait osé franchir les limites de cette cour et pénétrer dans le domaine d'Aryami Bosé. Ceux qui la connaissaient l'appréciaient et la respectaient autant qu'ils la craignaient. Il n'y avait pas une âme dans les rues du nord de Calcutta qui, à un moment quelconque de sa vie, n'ait entendu parler d'elle et de sa famille. Chez les gens de l'endroit, sa présence était comparable à celle d'un esprit puissant et invisible.

Peake courut vers le portail aux barreaux noirs en forme de lances qui donnait accès au sentier envahi par les arbustes de la cour et se hâta de gagner les marches de marbre qui menaient à la porte de la demeure. Tenant les enfants d'un seul bras, il frappa du poing à plusieurs reprises, en espérant que le fracas de la tempête ne couvre pas le bruit de son appel.

Le lieutenant cogna ainsi pendant plusieurs minutes, le regard rivé sur les rues désertes derrière lui, hanté par la crainte de voir ses poursuivants apparaître. Quand la porte céda, Peake se trouva face à la flamme d'une chandelle qui l'aveugla, tandis qu'une voix qu'il n'avait pas entendue depuis cinq ans prononçait son nom à voix basse. Se protégeant les yeux de la main, il reconnut le visage impénétrable d'Aryami Bosé.

La femme comprit au premier regard. Elle observa les enfants. Une ombre de douleur se répandit sur ses traits. Peake baissa les yeux.

— Elle est morte, Aryami, murmura-t-il. Elle était déjà morte quand je suis arrivé…

Aryami ferma les yeux et respira profondément. Il vit que la confirmation de ses pires craintes se frayait, comme un jet d'acide, un chemin dans l'âme de la dame.

— Entre, dit-elle finalement en s'effaçant pour le laisser passer et en refermant la porte derrière lui.

Peake se hâta de déposer les enfants sur une table et de les défaire de leurs vêtements mouillés. En silence, Aryami prit des serviettes sèches et les en enveloppa pendant qu'il ravivait le feu pour les réchauffer.

— Ils me suivent, Aryami. Je ne peux pas rester ici.

— Tu es blessé, observa la femme en désignant l'entaille produite par le clou.

— Ce n'est qu'une éraflure superficielle, mentit Peake. Elle ne me fait pas mal.

Elle s'approcha de lui et tendit la main pour caresser son visage ruisselant de sueur.

— Tu l'as toujours aimée…

Il détourna le regard en direction des petits et ne répondit pas.

— Ils auraient pu être tes enfants. Peut-être leur sort aurait-il été meilleur.

— Je dois partir, Aryami, la pressa le lieutenant. Si je reste ici, ils ne s'arrêteront pas avant de m'avoir mis la main dessus.

Ils échangèrent un regard désolé, conscients du destin qui attendait Peake dès qu'il se retrouverait dans la rue. Aryami prit les mains du lieutenant dans les siennes et les serra avec force.

— Je n'ai jamais été bonne avec toi. J'avais peur pour ma fille, pour la vie qui l'attendait auprès d'un officier britannique. Mais je me trompais. Je suppose que tu ne me le pardonneras jamais.

— Ça n'a plus aucune importance. Je dois m'en aller. Maintenant.

Peake s'approcha des enfants qui reposaient à la chaleur du feu pour les contempler une dernière fois. Les bébés le regardèrent avec une curiosité rieuse et des yeux brillants. Après ces quelques minutes de repos, le poids de la fatigue et la douleur lancinante qu'il sentait dans sa jambe s'abattirent sur lui. Il avait épuisé ses forces jusqu'à la dernière goutte pour amener les enfants jusque-là, et à présent il doutait de ses capacités à affronter l'inévitable. Dehors, la pluie continuait de fouetter les broussailles. Il n'y avait pas trace de son poursuivant ni de ses sbires.

— Michael…, dit Aryami dans son dos.

Le jeune homme s'arrêta sans se retourner.

— Elle le savait, mentit Aryami. Elle l'a toujours su,

et je suis sûre que, d'une certaine manière, elle répondait à ton amour. Tout cela est ma faute. Ne lui en garde pas rancune.

Peake acquiesça en silence et ferma la porte derrière lui. Il demeura quelques secondes sous la pluie, après quoi, l'âme en paix, il reprit le chemin dans l'autre sens, à la rencontre de ses poursuivants. Il revint jusqu'à l'endroit où il était sorti de l'entrepôt déserté, pour pénétrer de nouveau dans l'ombre du vieux bâtiment, à la recherche d'une cachette où il n'aurait plus qu'à attendre.

Tandis qu'il s'enfonçait dans l'obscurité, l'épuisement et la douleur qu'il ressentait fondirent lentement, laissant place à une sensation enivrante d'abandon et de paix. Ses lèvres esquissèrent une ébauche de sourire. Il n'avait plus désormais aucune raison, aucun espoir, de rester vivant.

Les doigts longs et effilés du gant noir caressèrent la pointe ensanglantée du clou qui sortait du madrier brisé, devant l'entrée du sous-sol de l'entrepôt. Lentement, pendant que ses hommes attendaient en silence derrière elle, la mince silhouette qui dissimulait son visage sous une cagoule noire porta le bout de son index à ses lèvres et lécha la goutte de sang noir et épais comme s'il s'agissait d'une larme de miel. Un instant plus tard, se tournant vers ces hommes qu'elle avait engagés trois ou quatre heures plus tôt pour quelques roupies et contre la promesse d'un nouveau versement à la fin de leur travail, elle désigna l'intérieur du bâtiment. Les trois tueurs s'empressèrent de se glisser dans l'ouverture que Peake avait empruntée un peu plus tôt. L'homme cagoulé sourit dans le noir.

Caché derrière une pile de caisses vides dans les profondeurs du sous-sol, Peake observa les trois silhouettes qui s'introduisaient dans l'entrepôt et, bien qu'il ne puisse voir leur maître, il eut la certitude que celui-ci les attendait de l'autre côté du mur. Il pressentait sa présence. Il sortit son revolver et fit tourner le barillet pour placer une des deux balles en face du canon, étouffant le bruit sous sa veste trempée. Le chemin de la mort ne lui faisait plus peur, mais il n'avait pas l'intention de le parcourir seul.

L'adrénaline qui coulait dans ses veines avait atténué la douleur lancinante de son genou, réduite maintenant à un battement sourd et distant. Surpris lui-même par son calme, Peake sourit de nouveau et demeura immobile dans sa cachette. Il suivit la lente avancée des trois hommes dans les couloirs formés par les étagères vides, jusqu'à ce que ses bourreaux fassent halte à une dizaine de mètres. L'un d'eux leva la main pour leur faire signe de s'arrêter et désigna des empreintes sur le sol. Peake plaça son revolver à la hauteur de sa poitrine, pointé vers eux, et arma la détente.

À un nouveau signal, les trois hommes se séparèrent. Deux d'entre eux contournèrent lentement le couloir qui conduisait à la pile de caisses. Le troisième se dirigea droit sur Peake. Le lieutenant compta mentalement jusqu'à cinq et, d'un coup, fit tomber les caisses sur son agresseur. Celles-ci l'ensevelirent et Peake courut vers l'ouverture par laquelle il était entré.

Un des tueurs à gages jaillit à sa rencontre à l'intersection de deux couloirs, brandissant la lame de son couteau tout près de son visage. L'assassin n'eut pas le temps d'arborer un sourire de victoire que déjà le canon du revolver de Peake était posé sous son menton.

— Lâche ton couteau, cracha le lieutenant.

Face à ces yeux glacés, l'homme obéit. Peake l'attrapa brutalement par les cheveux et, tenant toujours son arme, se retourna vers ses acolytes en se faisant un bouclier du corps de son otage. Les deux autres malfrats approchèrent lentement, aux aguets.

— Lieutenant, épargne-nous cette scène et donne-nous ce que nous cherchons, murmura une voix familière dans son dos. Ces hommes sont d'honnêtes pères de famille.

Peake tourna son regard vers l'homme cagoulé qui souriait à quelques mètres de lui. Un jour, pas si lointain, il avait appris à considérer ce visage comme celui d'un ami. Aujourd'hui, il avait du mal à reconnaître en lui celui de son assassin.

— Je vais faire sauter la cervelle de cet homme, Jawahal.

Son otage, tremblant, ferma les yeux.

L'homme à la cagoule croisa patiemment les mains et émit un léger soupir de lassitude.

— Fais comme il te plaira, lieutenant, mais ce n'est pas ça qui te sortira d'ici.

— Je parle sérieusement, répliqua Peake en enfonçant la pointe du canon sous le menton du malfrat.

— Bien sûr, lieutenant, dit Jawahal d'un ton conciliant. Tire si tu as le courage de tuer un homme de sang-froid et sans la permission de Sa Gracieuse Majesté. Sinon, lâche ton arme et nous pourrons arriver à un accord profitable aux deux parties.

Les deux tueurs armés demeuraient immobiles, prêts à sauter sur lui au premier signe de l'homme à la cagoule. Peake sourit.

— Bien, dit-il. Puisque tu parles d'accord, que penses-tu de celui-là ?

Il expédia son otage au sol et se retourna vers l'homme cagoulé, le revolver levé. L'écho du premier coup de feu se répercuta dans le sous-sol. La main gantée de l'homme à la cagoule émergea du nuage de poudre, paume ouverte. Peake crut voir le projectile écrasé briller dans la pénombre et fondre lentement pour devenir un filet de métal liquide qui glissait entre les doigts effilés, telle une poignée de sable.

— Tu tires mal, lieutenant. Essaye encore, mais cette fois de plus près.

Sans lui donner le temps de bouger un muscle, il prit la main de Peake et porta l'embouchure du canon contre son propre visage, entre les deux yeux.

— Ce n'est pas ce qu'on t'a appris à l'académie militaire ? murmura-t-il.

— Il y a eu un temps où nous étions amis, dit Peake.

Jawahal eut un ricanement méprisant.

— Ce temps est passé, lieutenant.

— Que Dieu me pardonne, implora Peake en appuyant de nouveau sur la détente.

Durant un instant qui lui sembla une éternité, il vit la balle perforer le crâne de Jawahal et lui arracher sa cagoule. Pendant quelques secondes, la lumière traversa la blessure sur ce visage glacé et souriant. Puis l'orifice fumant ouvert par le projectile se referma lentement. Peake sentit son revolver lui glisser des doigts.

Les yeux flamboyants de son vis-à-vis se plantèrent dans les siens et une longue langue noire apparut entre ses lèvres.

— Décidément, tu n'as toujours pas compris, lieutenant? Où sont les enfants?

Ce n'était pas une question. C'était un ordre.

Peake, muet, fit non de la tête.

— Comme tu voudras.

Jawahal prit la main de Peake en tenaille. Les os de ses doigts éclatèrent sous la peau. La violence de la douleur le fit tomber à genoux, respiration coupée.

— Où sont les enfants? répéta Jawahal.

Peake tenta d'articuler quelques mots, mais le feu qui montait du moignon sanglant qui, quelques secondes plus tôt, avait été sa main, avait paralysé sa voix.

— Tu veux dire quelque chose, lieutenant? murmura Jawahal en s'agenouillant devant lui.

Peake fit signe que oui.

— Bien, bien, dit son ennemi en souriant. Franchement, tes souffrances ne m'amusent pas. Aide-moi à y mettre fin.

— Les enfants sont morts, gémit Peake.

Le lieutenant vit la grimace de dégoût qui se dessinait sur le visage de Jawahal.

— Tu avais bien commencé. Ne gâche pas tout maintenant.

— Ils sont morts, répéta Peake.

Jawahal haussa les épaules et hocha lentement la tête.

— Tu ne me laisses pas le choix. Cependant, avant ton départ, laisse-moi te rappeler que, lorsque la vie de Kylian était entre tes mains, tu as été incapable de la sauver. C'est à cause d'hommes comme toi qu'elle est morte. Mais tous ces hommes ont quitté ce monde. Tu es le dernier. L'avenir m'appartient.

Peake leva un regard suppliant vers Jawahal et vit ses pupilles s'étrécir lentement, jusqu'à devenir de minces fils au milieu de deux sphères dorées. L'homme sourit et, avec une infinie délicatesse, enleva le gant qui couvrait sa main droite.

— Malheureusement, tu ne vivras pas pour le voir. Ne crois pas une seconde que ton acte héroïque aura servi à quelque chose. Tu es un imbécile, lieutenant. Tu m'as toujours donné cette impression et, à l'heure de mourir, tu ne fais que la confirmer. J'espère qu'il y a un enfer pour les imbéciles, Peake, car c'est là que je vais t'expédier.

Peake ferma les yeux. Il entendit le sifflement du feu à quelques centimètres de son visage. Puis, après un instant interminable, il sentit des doigts brûlants serrer sa gorge et faucher son dernier souffle de vie. Pendant ce temps, au loin, retentissait le bruit du train maudit et les voix d'outre-tombe de centaines d'enfants hurlant dans les flammes. Et tout de suite après, le noir.

Aryami Bosé parcourut la demeure et éteignit une à une les chandelles qui éclairaient son sanctuaire. Elle ne laissa que la timide lueur du feu qui projetait des halos fugaces sur les murs nus. Les enfants dormaient à la chaleur des braises. Seuls le crépitement de la pluie et les craquements du bois dans le foyer rompaient le silence sépulcral qui régnait dans la maison. Des larmes silencieuses glissèrent sur son visage et tombèrent sur sa tunique dorée pendant qu'elle prenait dans ses mains tremblantes le portrait de sa fille Kylian parmi les objets qu'elle conservait pieusement dans un petit coffre de bronze et d'ivoire.

Un vieux photographe ambulant venu de Bombay avait pris cette image quelque temps avant le mariage, sans accepter aucun paiement. Elle montrait Kylian telle qu'Aryami se la rappelait, nimbée de cette extraordinaire luminosité qui émanait d'elle et émerveillait tous ceux qui la connaissaient, de la même manière qu'elle avait ensorcelé l'œil expert du portraitiste qui lui avait donné ce surnom, ancré dans la mémoire de tous : la princesse de lumière.

Naturellement, Kylian n'avait jamais été une véritable princesse, et elle n'avait eu d'autre royaume que celui des rues qui l'avaient vue grandir. Le jour où, dans le carrosse blanc qui l'emportait, la princesse de la *ville noire* avait quitté la demeure des Bosé pour vivre avec son mari, les gens du Machuabazaar lui avaient dit adieu les larmes aux yeux. Elle était encore presque une enfant quand le destin l'avait emportée ; il ne l'avait jamais rendue.

Aryami s'assit près des bébés devant le feu et serra la vieille photo contre son sein. La tempête rugit de nouveau, et elle domina sa colère pour décider de ce qu'elle devait faire. Le poursuivant du lieutenant

Peake ne se contenterait pas de sa mort. Le courage du jeune homme lui avait ménagé quelques précieuses minutes qu'elle ne pouvait gaspiller sous aucun prétexte, pas même celui de pleurer sa fille. L'expérience lui avait enseigné que l'avenir lui réservait plus de temps qu'il n'était nécessaire pour se lamenter sur les erreurs commises dans le passé.

Elle remit la photo dans le coffre et prit la médaille qu'elle avait fait fondre pour Kylian des années plus tôt, un bijou que celle-ci n'avait jamais porté. Elle était composée de deux cercles d'or, un soleil et une lune, qui s'emboîtaient l'un dans l'autre pour former une seule pièce. Elle appuya sur le centre de la médaille et les deux parties se séparèrent. Aryami enfila chaque moitié sur une chaîne en or ; puis elle glissa une chaîne autour du cou de chacun des enfants.

Ce faisant, elle réfléchissait en silence aux décisions qu'elle devait prendre. Une seule voie paraissait assurer leur survie : les séparer, les éloigner l'un de l'autre, effacer leur passé et cacher leur identité au monde et à eux-mêmes, pour douloureux que cela puisse être. Il n'était pas possible de les garder ensemble sans, tôt ou tard, se trahir. C'était un risque qu'elle ne pouvait à aucun prix assumer. Et il était impératif de résoudre le dilemme avant le lever du jour.

Aryami prit les deux bébés dans ses bras et les embrassa doucement sur le front. Les petites mains caressèrent son visage et leurs doigts minuscules touchèrent les larmes qui couvraient ses joues pendant que leurs yeux rieurs l'observaient sans comprendre. Elle les serra encore dans ses bras et les recoucha dans le berceau qu'elle avait improvisé pour eux.

Dès qu'elle les eut reposés, elle alluma une chandelle et prit une plume et une feuille de papier. L'avenir de ses petits-enfants était désormais entre ses mains. Elle prit une profonde inspiration et commença d'écrire. Au loin, la pluie faiblissait et les bruits de la tempête s'éloignaient vers le nord, étendant sur Calcutta un infini manteau d'étoiles.

À cinquante ans, Thomas Carter croyait que la ville de Calcutta, qui avait été son foyer dans les trente-deux dernières années de sa vie, ne pouvait plus lui réserver de surprises.

Au matin de ce jour de mai 1916, après l'une des plus furieuses tempêtes dont il eût souvenir en dehors de la période de la mousson, la surprise arriva aux portes de l'orphelinat St. Patrick's sous la forme d'un panier avec un bébé et une lettre scellée à la cire destinée à être lue de lui seul.

À vrai dire, c'était une double surprise. D'abord, personne dans Calcutta ne se donnait la peine d'abandonner un enfant aux portes d'un orphelinat : il y avait assez d'impasses, de décharges, de puits dans toute la ville pour le faire plus commodément. Ensuite, personne n'écrivait de missives de présentation comme celle-là, signés et dûment adressés à sa personne.

Carter examina ses lunettes à contre-jour, souffla de la buée sur les verres pour faciliter leur nettoyage avec un mouchoir en coton cru et usé qu'il réservait pour cet usage au moins vingt-cinq fois par jour, et trente-cinq pendant les mois d'été.

L'enfant reposait en bas, dans le dortoir de Vendela, l'infirmière en chef, sous sa surveillance attentive. Il avait été ausculté par le docteur Woodward, arraché à son sommeil peu avant l'aube, auquel ils n'avaient donné aucune autre indication que celle de bien vouloir faire son devoir hippocratique.

L'enfant était en bonne santé. Il montrait certains signes de déshydratation, mais ne semblait affecté d'aucune des fièvres de l'ample nomenclature qui fauchait la vie de milliers de bébés comme lui et leur déniait le droit d'atteindre l'âge nécessaire pour apprendre à prononcer le nom de leur mère. Ne l'accompagnaient, en tout et pour tout, qu'une médaille en or en forme de soleil, que Carter tenait dans ses doigts, et cette lettre. Une lettre qui, s'il fallait la tenir pour authentique – et il n'avait aucune raison d'en douter –, le mettait dans une situation bien embarrassante.

Cher monsieur Carter,

Je me vois dans l'obligation de solliciter votre aide dans de bien pénibles circonstances, en faisant appel à l'amitié qui, je le sais, vous a lié à mon défunt mari durant plus de dix ans. Pendant tout ce temps, mon époux n'a jamais tari d'éloges à propos de votre honnêteté et de l'extraordinaire confiance que vous lui avez toujours inspirée. C'est pour cela qu'aujourd'hui je vous prie d'accéder à ma demande, pour étrange qu'elle puisse vous paraître, avec la plus grande urgence et, si possible, la plus totale discrétion.

L'enfant que je me vois obligée de vous remettre a perdu ses parents sous les coups d'un assassin qui a juré de les tuer non seulement tous les deux, mais aussi leur descendance. Je ne peux ni ne crois opportun de vous révéler les motifs qui l'ont conduit à commettre un tel acte. Je me bornerai à vous préciser que le séjour de l'enfant doit être gardé secret et que, sous aucun prétexte, vous ne devez en faire part à la police ou aux autorités britanniques, car l'assassin dispose dans ces deux administrations de relations qui ne tarderaient pas à le conduire jusqu'à lui.

Pour des raisons évidentes, je ne peux élever l'enfant sans l'exposer au même sort que celui de ses parents. C'est pourquoi je vous prie de le prendre en charge, de lui donner un nom et de l'élever dans les principes pleins de droiture de votre institution pour faire de lui, demain, une personne aussi honorable et aussi honnête que l'ont été ses parents.

Je suis consciente que l'enfant ne pourra jamais connaître son passé, mais il est d'une importance vitale qu'il en soit ainsi.

Je ne dispose pas de beaucoup de temps pour vous donner d'autres détails et je me vois de nouveau dans l'obligation, pour légitimer ma requête, de vous rappeler la confiance et l'amitié que vous avez manifestées envers mon mari.

Je vous prie instamment de détruire cette lettre après l'avoir lue, de même que toute indication qui pourrait trahir le lieu où se trouve l'enfant. Je regrette de ne pouvoir effectuer cette demande en personne, mais la gravité de la situation m'en empêche.

Avec la confiance que vous saurez prendre la décision appropriée, recevez mon éternelle gratitude.

Aryami Bosé

Des coups discrets à sa porte l'arrachèrent à sa lecture. Il ôta ses lunettes, plia soigneusement la lettre et la rangea dans un tiroir de son bureau, qu'il ferma à clef.

— Entrez.

Vendela, l'infirmière en chef de St. Patrick's, apparut sur le seuil, arborant son éternel visage sévère et professionnel. Son expression n'augurait rien de bon.

— Un monsieur désire vous voir, dit-elle.

Carter fronça les sourcils.

— À quel sujet ?

— Il n'a pas voulu me donner de détails, répondit l'infirmière.

Mais son ton suggérait clairement que, même s'il en avait donné, elle flairait instinctivement qu'ils auraient été suspects.

Après une pause, elle entra dans la pièce et ferma la porte derrière elle.

— Je crois qu'il s'agit du bébé, poursuivit-elle, non sans inquiétude. Je ne lui ai rien dit.

— A-t-il parlé à quelqu'un d'autre ?

Vendela hocha négativement la tête. Carter acquiesça et glissa la clef de son bureau dans la poche de son pantalon.

— Je peux lui dire que vous êtes absent pour le moment.

Il considéra cette éventualité pendant un instant et décida que, si les soupçons de Vendela étaient fondés (et elle se trompait rarement), cela ne ferait que renforcer l'impression que St. Patrick's avait quelque chose à cacher. La décision s'imposa d'elle-même.

— Non. Je vais le recevoir. Faites-le entrer et assurez-vous qu'aucun membre du personnel n'entre en contact avec lui. Discrétion absolue sur cette affaire. D'accord?

— Compris.

Carter écouta les pas de Vendela s'éloigner dans le couloir, pendant qu'il nettoyait de nouveau les verres de ses lunettes. La pluie continuait de frapper les vitres de sa fenêtre sans aucun respect pour sa personne.

L'homme portait une longue cape noire et sa tête était coiffée d'un turban orné d'un médaillon sombre en forme de serpent. Ses gestes étudiés suggéraient un commerçant prospère du nord de Calcutta et ses traits paraissaient vaguement indiens, mais sa peau avait une pâleur maladive, celle de quelqu'un qui ne s'expose jamais aux rayons du soleil. Le métissage des races, consécutif à la fondation de Calcutta, avait mélangé dans ses rues Bengalis, Arméniens, Juifs, Anglo-Saxons, Chinois, Musulmans et d'innombrables groupes arrivés jusqu'au pays de Kali en quête de fortune ou de refuge. Ce visage pouvait appartenir à n'importe laquelle de ces ethnies aussi bien qu'à aucune.

Carter sentit derrière lui les yeux pénétrants qui l'inspectaient soigneusement pendant qu'il servait les deux tasses de thé sur le plateau que Vendela avait apporté.

— Asseyez-vous, je vous en prie, dit-il aimablement à l'inconnu. Un morceau de sucre ?

— Je ferai comme vous.

L'inconnu parlait sans accent et sa voix était totalement inexpressive. Carter avala sa salive, plaqua un sourire cordial sur ses lèvres et lui tendit la tasse de thé. Des doigts enfermés dans un gant noir, longs et effilés comme des griffes, se refermèrent sans hésitation sur la porcelaine brûlante. Carter s'installa dans son fauteuil et tourna la cuillère dans sa tasse pour faire fondre le sucre.

— Je suis désolé de venir vous importuner dans un moment pareil, monsieur Carter. J'imagine que vous devez avoir beaucoup à faire, aussi je serai bref, affirma l'homme.

Carter acquiesça poliment.

— Quel est le motif de votre visite, monsieur… ?

— Mon nom est Jawahal, monsieur Carter. Je serai très franc. Peut-être ma question vous paraîtra-t-elle étrange, mais avez-vous trouvé un enfant, un bébé de quelques jours à peine, la nuit dernière ou aujourd'hui ?

Carter fronça les sourcils et imprima à son visage l'expression de la plus vive surprise. En se gardant bien d'en faire trop.

— Un enfant ? Je crois que je ne comprends pas.

L'homme qui affirmait se nommer Jawahal eut un large sourire.

— Vous allez voir. Je ne sais par où commencer. Il s'agit d'une histoire plutôt embarrassante. Je fais confiance à votre discrétion, monsieur Carter.

— Comptez sur elle, monsieur Jawahal, assura Carter en sirotant une gorgée de thé.

L'homme, qui n'avait pas goûté à sa tasse, se détendit et s'apprêta à préciser les raisons de sa demande.

— Je possède un important commerce de textiles dans le nord de la ville. Je suis ce qu'on pourrait appeler un homme jouissant d'une bonne position. Certains me disent riche, et ils n'ont pas tort. J'ai de nombreuses familles à ma charge et je m'honore de les traiter et de les aider aussi bien que possible.

— Nous faisons tous ce que nous pouvons, les choses étant ce qu'elles sont, répondit Carter sans écarter son regard de ces yeux noirs et insondables.

— Naturellement. Le motif qui m'a conduit dans votre honorable institution est une affaire pénible pour laquelle je voudrais trouver une solution rapide. Voici une semaine, une fille qui travaille dans un de mes ateliers a donné naissance à un enfant. Le père du bébé est, à ce qu'il paraît, un gueux plus ou moins anglais qui la fréquentait et dont le domicile, depuis qu'il a eu connaissance de l'état de la fille, est inconnu. Apparemment, la famille de la jeune fille est de Delhi : ce sont des musulmans très stricts qui n'étaient au courant de rien.

Carter hocha gravement la tête en signe de commisération.

— Il y a de cela deux jours, poursuivit Jawahal, j'ai appris par un contremaître que la fille, dans un accès de folie, s'était enfuie de la maison où elle vivait avec des membres de sa famille, dans l'idée, semble-t-il, de vendre l'enfant. Ne la jugez pas mal, c'est une jeune personne exemplaire, mais la pression exercée sur elle l'a débordée. Vous ne vous en étonnerez pas. Ce pays est comme le vôtre, monsieur Carter, peu tolérant envers les faiblesses humaines.

— Et vous croyez que l'enfant pourrait être ici, monsieur Jahawal ? demanda Carter, tentant de revenir au vif du sujet.

— Jawahal, corrigea le visiteur. Vous allez voir. Ce que je peux dire, c'est qu'en apprenant les faits je me suis senti en quelque sorte responsable. Après tout, la fille travaillait chez moi. En compagnie de contremaîtres de confiance, j'ai parcouru la ville. Nous avons découvert que la jeune personne avait vendu l'enfant à un méprisable criminel qui fait commerce de ces pauvres petits pour la mendicité. Une triste réalité, hélas quotidienne. Nous l'avons trouvé mais, dans des circonstances qu'il serait trop long de détailler ici, il a réussi à nous échapper au dernier moment. Cela s'est passé aux abords immédiats de cet orphelinat. J'ai quelques raisons de penser que, par peur de ce qui pouvait lui arriver, l'individu a abandonné l'enfant dans les parages.

— Je comprends. Avez-vous porté l'affaire à la connaissance des autorités locales, monsieur Jawahal ? Le trafic d'enfants est durement réprimé, vous le savez.

L'inconnu croisa les mains et poussa un léger soupir.

— J'étais sûr de pouvoir régler la question sans en arriver à cette extrémité. Franchement, si je le faisais, j'impliquerais la jeune personne, et l'enfant resterait sans père ni mère.

Carter pesa soigneusement l'histoire de l'inconnu

et acquiesça lentement et à plusieurs reprises en signe de compréhension. Il ne croyait pas un mot de tout le récit.

— Je regrette de ne pouvoir vous aider, monsieur Jawahal. Malheureusement, nous n'avons trouvé aucun enfant et nous n'avons aucune information à ce sujet. Quoi qu'il en soit, si vous voulez bien me laisser vos coordonnées, je prendrai contact avec vous au cas où quelque nouvelle nous parvenait. Néanmoins, je crains de devoir alors informer les autorités du fait qu'un bébé a été déposé dans cet hôpital. C'est la loi, et je ne peux l'ignorer.

L'homme contempla Carter en silence pendant quelques secondes sans ciller. Carter soutint son regard sans modifier d'un iota son sourire, bien qu'il sente son estomac se serrer et son pouls s'accélérer comme s'il s'était trouvé face à un serpent. Finalement, l'inconnu sourit cordialement et désigna la silhouette du Raj Bhawan, le siège du gouvernement britannique, aux allures de palais, qui se dressait au loin sous la pluie.

— Vous autres Britanniques, vous êtes admirablement respectueux de la loi, et cela vous honore. N'est-ce pas Lord Wellesley qui a décidé, en 1799, de transporter le gouvernement dans cette magnifique enclave pour donner une envergure nouvelle à sa loi ? Ou est-ce en 1800 ?

— Je crains de ne pas être un fin connaisseur de l'histoire locale, fit remarquer Carter, déconcerté par le tour extravagant que Jawahal avait donné à la conversation.

Le visiteur fronça les sourcils en signe d'aimable et pacifique désapprobation d'un tel aveu d'ignorance.

— Calcutta, avec à peine deux cent cinquante ans d'existence, est une ville si dépourvue d'histoire que la moindre des choses que nous puissions faire pour elle est de la connaître, monsieur Carter. Pour revenir à la question, je dirais que c'est en 1799. Savez-vous la raison du déménagement ? Le gouverneur Wellesley a décrété que l'Inde devait être dirigée depuis un palais et non depuis un immeuble de comptables, avec les idées d'un prince et non celles d'un négociant en épices. Toute une vision, à mon avis.

— Sans doute, confirma Carter en se levant avec l'intention de congédier l'étrange visiteur.

— Mais, tout de même, dans un empire où la décadence est un art et Calcutta son meilleur musée, ajouta Jawahal.

Carter acquiesça vaguement sans très bien savoir à quoi.

— Je suis désolé de vous avoir fait perdre votre temps, monsieur Carter, conclut Jawahal.

— Ne croyez pas cela. Je regrette seulement de ne pouvoir mieux vous aider. Dans des cas pareils, nous devons tous faire le maximum.

— C'est bien vrai, confirma Jawahal en se levant à son tour. Je vous remercie encore de votre amabilité. Je voudrais juste vous poser encore une question.

— Je vous répondrai bien volontiers, répliqua Carter en priant intérieurement pour être enfin débarrassé de la présence de cet individu.

Jawahal sourit malicieusement, comme s'il avait lu dans ses pensées.

— Jusqu'à quel âge les enfants que vous recueillez restent-ils chez vous, monsieur Carter ?

Carter ne put dissimuler son étonnement devant la question.

— J'espère ne pas avoir commis d'indiscrétion, s'empressa d'ajouter Jawahal. S'il en était ainsi, ignorez ma question. C'était simple curiosité.

— Il n'y a aucun secret. Les pensionnaires de St. Patrick's demeurent sous notre toit jusqu'au jour de leurs seize ans. Passé cette date, la période de tutelle légale est achevée. Ce sont déjà des adultes, ou du moins c'est ainsi que la loi les considère, et ils sont en mesure de se lancer dans la vie. Comme vous voyez, cette institution est privilégiée.

Jawahal l'avait écouté attentivement et parut réfléchir.

— J'imagine que ce doit être douloureux pour vous de les voir partir après les avoir eus toutes ces années à votre charge. D'une certaine manière, vous êtes le père de tous ces jeunes gens.

— Ça fait partie de mon travail, mentit Carter.

— Évidemment. Pourtant, pardonnez mon indiscrétion, mais comment savez-vous quel est l'âge véritable d'un enfant qui n'a pas de parents ni de famille ? L'expérience, je suppose…

— L'âge de chaque pensionnaire est précisé sur la fiche d'entrée ou par un calcul approximatif appliqué par l'institution, expliqua Carter, que l'idée de discuter des procédures de St. Patrick's avec un inconnu mettait mal à l'aise.

— Cela fait de vous un Dieu en miniature, monsieur Carter.

— C'est une appréciation que je ne partage pas, répondit sèchement Carter.

Jawahal savoura l'expression de contrariété qui avait affleuré sur le visage du directeur.

— Excusez mon audace, monsieur Carter. En tout cas, je suis heureux d'avoir fait votre connaissance. Il est possible que je vous rende encore visite et que je verse une contribution à votre noble institution. Je pourrais aussi revenir dans seize ans et connaître ainsi les enfants entrés ces jours-ci dans votre grande famille...

— Ce sera toujours un plaisir de vous recevoir, si vous le souhaitez, dit Carter en accompagnant l'inconnu jusqu'à la porte de son bureau. Il semble que la pluie redouble encore une fois d'intensité. Peut-être préférerez-vous attendre qu'elle faiblisse.

L'homme se tourna vers lui et les perles noires de ses yeux brillèrent intensément. Ce regard paraissait avoir calibré chacun des gestes du directeur et chacune de ses expressions, soupesant ses silences et analysant patiemment ses paroles. Carter regretta d'avoir fait cette proposition de prolonger l'hospitalité de St. Patrick's.

En cet instant précis, s'il y avait quelque chose au monde qu'il souhaitait avec force, c'était de voir partir cet individu. Quand bien même un typhon balaierait les rues de la ville.

— La pluie s'arrêtera vite, monsieur Carter. Merci pour tout.

Vendela, réglée comme une horloge, attendait dans le couloir la fin de l'entretien et escorta le visiteur jusqu'à la sortie. De sa fenêtre, Carter regarda la silhouette noire s'éloigner sous la pluie pour disparaître dans les ruelles au pied de la colline. Il resta immobile derrière la vitre, les yeux fixés sur la Raj Bhawan, le siège du gouvernement. Peu de temps après, comme l'avait prédit Jawahal, la pluie s'arrêta.

Il se servit une autre tasse de thé et s'assit dans son fauteuil en contemplant la ville. Il avait été élevé à Liverpool, dans un lieu pareil à celui qu'il dirigeait à présent. Entre les murs de cette institution, il avait appris trois choses qui devaient devenir essentielles pour le reste de son existence : apprécier tout ce qui était matériel à sa juste valeur ; aimer les classiques ; et en dernière instance, pour lui la plus importante : reconnaître un menteur à un mile à la ronde.

Il termina sans hâte de boire son thé et décida de commencer à fêter son cinquantième anniversaire, puisque, décidément, Calcutta lui réservait encore des surprises. Il alla à son armoire vitrée et en sortit la boîte de cigares qu'il réservait pour les occasions mémorables. Il gratta une longue allumette et alluma le précieux spécimen avec tous les soins requis par le cérémonial.

Puis, profitant de la flamme que lui offrait providentiellement l'allumette, il tira la lettre d'Aryami Bosé de son tiroir et y mit le feu. Pendant que le luxueux papier se réduisait en cendres sur un petit plateau gravé aux initiales de St. Patrick's, il savoura le cigare et décida qu'en l'honneur d'une des idoles de sa jeunesse, Benjamin Franklin, le nouveau pensionnaire de l'orphelinat grandirait sous le prénom de Ben et qu'il ferait personnellement tout ce qui était en son pouvoir pour que le garçon trouve entre ces quatre murs la famille que le destin lui avait volée.

*A*vant de poursuivre et d'aborder les détails des événements réellement significatifs de ce récit qui se sont produits seize ans plus tard, je dois m'arrêter brièvement pour présenter quelques-uns de ses personnages. Qu'il me suffise de préciser que, pendant que tout ce qui précède se déroulait dans les rues de Calcutta, certains d'entre nous n'étaient pas encore nés et d'autres comptaient à peine quelques jours d'existence. Une seule circonstance nous était commune, et c'est elle qui avait fini par nous réunir sous le toit de St. Patrick's : nous n'avions jamais eu ni famille ni foyer.

Nous avions appris à vivre sans l'une et l'autre ou, mieux, en inventant notre propre famille et en créant notre propre foyer. Une famille et un foyer choisis librement, où n'avaient place ni le hasard ni le mensonge. Aucun de nous sept ne se connaissait d'autre père que Mr Thomas Carter, avec ses discours sur la sagesse que contenaient les pages de Dante et de Virgile, ni d'autre mère que la ville de Calcutta, avec les mystères qu'hébergeaient ses rues sous les étoiles de la péninsule du Bengale.

Notre club privé portait un nom pittoresque dont l'origine

n'était connue que du seul Ben, qui l'avait tiré de son imagination, même si certains d'entre nous le soupçonnaient de l'avoir trouvé dans un vieux catalogue de vente par correspondance de Bombay. Quoi qu'il en soit, le fait est que la Chowbar Society s'est constituée à un moment de notre vie où les jeux de l'orphelinat avaient cessé de nous offrir suffisamment de défis tentateurs. Tandis que, au contraire, notre astuce était déjà assez développée pour que nous sachions nous éclipser impunément de l'institution en pleine nuit, bien après le couvre-feu de la vénérable Vendela, pour gagner notre siège social, la maison abandonnée, très secrète et prétendument hantée, qui a occupé pendant des décennies le coin de Cotton Street et de Brabourne Road, en pleine ville noire et à quelques rues seulement du fleuve Hooghly.

Par respect pour la vérité, je dois ajouter que cette bâtisse, que nous appelions avec fierté le Palais de Minuit (en considération de l'horaire de nos sessions plénières), n'a jamais été hantée. Cette réputation, cependant, n'était pas étrangère à nos travaux clandestins. Un de nos membres fondateurs, Siraj, asthmatique professionnel et expert érudit en histoires de fantômes, apparitions et maléfices de la ville de Calcutta, avait forgé une légende suffisamment sinistre et vraisemblable concernant un supposé ancien habitant. Ce qui aidait à maintenir notre refuge secret vide et libre d'intrus.

L'histoire, en quelques mots, parlait d'un vieux commerçant qui, drapé dans une cape blanche et assoiffé d'âmes imprudentes et indiscrètes, parcourait la demeure en lévitation, ses yeux luisants comme des braises et ses crocs de loup dépassant de ses lèvres. Le détail des yeux et des dents, naturellement, était un apport personnel et original de Ben, amateur impénitent d'intrigues dont la prolifération exubérante rabaissait les classiques de Mr Carter, Sophocle et le sanguinaire Homère compris, au niveau du bitume.

Malgré ce que son nom pouvait suggérer de fantaisiste, la Chowbar Society était un club aussi sélect et aussi strict que ceux qui peuplaient les édifices edwardiens du centre de Calcutta, et il rivalisait avec ses congénères de Londres ; si les salons où l'on végétait, verre de brandy en main, relevaient du patrimoine de la haute société britannique, notre propos à nous, à défaut d'un cadre plus glorieux, était nettement plus noble.

La Chowbar Society était née avec deux missions sacrées. La première était de garantir à chacun de ses membres l'aide, la protection et le soutien inconditionnels des autres, quelles que soient les circonstances, le danger ou l'adversité. La seconde était de partager les connaissances acquises par chacun d'entre nous et de les mettre à la disposition de tous, afin de nous armer pour le jour où nous devrions affronter le monde en solitaires.

Chaque membre avait juré sur son nom et son honneur (puisque nous ne disposions pas de proches sur lesquels hypothéquer nos serments) de respecter ces deux buts et de garder le secret sur la société. Au cours de ses sept années d'existence ininterrompue, jamais de nouveau membre n'a été accepté. Je mens : nous avons fait une exception, mais la relater maintenant serait anticiper sur les événements...

Il n'y a jamais eu de club dont les membres aient été plus unis et où l'importance du serment ait eu tant de poids. À la différence des clubs de gentlemen fortunés de Mayfair, aucun de nous n'avait de foyer ou d'être cher pour l'attendre à la sortie du Palais de Minuit. Et, également en claire divergence

51

avec les vétustes associations des anciens de Cambridge, la Chowbar Society admettait les femmes.

Je commencerai donc par la première femme qui a prêté serment comme membre fondateur de la Chowbar Society, bien que, quand cette cérémonie a eu lieu, aucun d'entre nous (y compris l'intéressée âgée de neuf ans) n'ait alors pensé à elle comme à une femme. Son prénom était Isobel et, à l'entendre, elle était née pour les feux de la rampe. Elle rêvait de devenir la continuatrice de Sarah Bernhardt, de séduire le public depuis Broadway jusqu'à Shafestbury, et de mettre au chômage les divas de l'industrie naissante du cinéma de Hollywood et de Bombay. Elle collectionnait les coupures de presse et les programmes de théâtre, écrivait ses propres drames (des « monologues actifs », comme elle les appelait) et les représentait devant nous avec un succès notoire. Elle excellait particulièrement dans les rôles de femme fatale au bord de l'abîme. Sous ses allures extravagantes et mélodramatiques, Isobel possédait, à l'exception probable de Ben, le cerveau le mieux fait du groupe.

Les meilleures jambes, cependant, appartenaient à Roshan. Personne ne courait comme lui, qui avait grandi dans les rues de Calcutta aux bons soins des voleurs, des mendiants et de toute la faune de cette jungle de pauvreté qu'étaient les nouveaux quartiers en expansion du sud de la ville. Il avait huit ans quand Thomas Carter l'avait amené à St. Patrick's et, après plusieurs fugues suivies de plusieurs retours, Roshan avait décidé de rester avec nous. Parmi ses talents figurait l'art de la serrurerie. Il n'y avait pas sur toute la planète de serrure susceptible de lui résister.

J'ai déjà parlé de Siraj, notre spécialiste en maisons hantées. Siraj, en plus de son asthme, de sa faible constitution et de sa mauvaise santé, possédait une mémoire encyclopédique, particulièrement orientée vers les histoires ténébreuses de la ville (et il en avait des centaines). Dans les récits fantastiques qui agrémentaient nos veillées les plus réussies, il était le documentaliste et Ben le fabulateur. Du fantôme à cheval d'Hastings House au spectre du leader révolutionnaire de la mutinerie de 1857, en passant par l'effroyable événement dont le souvenir est resté vivant sous le nom de « trou noir de Calcutta » (où, au cours d'un siège du vieux Fort William, plus de cent hommes sont morts asphyxiés après avoir été faits prisonniers), aucun conte, aucun épisode macabre de l'histoire de la ville n'échappait au contrôle, à l'analyse et à l'archivage de Siraj. Inutile de préciser que, pour les autres, sa passion était un motif de réjouissances et de fêtes. Pour son malheur, cependant, Siraj éprouvait pour Isobel une adoration maladive. Il ne se passait pas six mois sans que ses propositions de mariage futur (invariablement déclinées) ne soient la cause d'une tempête romantique dans le groupe et n'aient une influence désastreuse sur l'asthme du pauvre amant transi.

La vie sentimentale d'Isobel relevait de la compétence exclusive de Michael, un garçon grand, mince et taciturne qui se laissait aller à de longues mélancolies sans raison apparente et jouissait du douteux privilège d'être arrivé en se souvenant de ses parents, morts dans le naufrage d'une barque surchargée, lors d'inondations dans le delta du Gange. Michael parlait peu et savait écouter. Il n'existait qu'une manière de connaître ses pensées : observer les dizaines de dessins qu'il faisait chaque jour. Ben avait l'habitude de dire que, s'il existait un seul autre Michael dans le monde, il investirait sa fortune (encore en gestation) dans des actions de fabriques de papier.

Le meilleur ami de Michael était Seth, un Bengali costaud, au visage sévère, qui souriait six fois par an, et encore avec réticence. Seth, dévoreur infatigable des classiques de Mr Carter et passionné d'astronomie, lisait tout ce qui lui tombait sous la main. Quand il n'était pas avec nous, il consacrait toute son énergie à la construction d'un étrange télescope avec lequel, prétendait Ben, il n'arriverait même pas à voir la pointe de ses pieds. Seth n'a jamais apprécié le sens de l'humour légèrement caustique de Ben.

Il ne me reste plus que Ben à évoquer et, bien que je l'aie réservé pour la fin, je me rends compte qu'il m'est très difficile de parler de lui. Il y avait un Ben différent pour chaque jour. Son humeur changeait en une demi-heure, et à de longs moments de silence et de triste figure succédaient des périodes d'hyperactivité qui finissaient par nous épuiser tous. Un jour, il voulait être écrivain; le lendemain, inventeur et mathématicien; un autre, navigateur et scaphandrier; et d'autres encore, tout ça en même temps et un peu plus encore. Il inventait des théories mathématiques dont lui-même n'arrivait pas à se souvenir, et il écrivait des histoires d'aventure si échevelées qu'il les détruisait dans la semaine même où il les avait terminées, tout honteux de les avoir signées. Il mitraillait tous ceux qui l'entouraient d'idées extravagantes et de jeux de mots embrouillés qu'il refusait toujours de répéter. Il était comme une malle sans fond, pleine de surprises et aussi de mystères, de lumières et d'ombres. Ben était, et je suppose qu'il l'est toujours bien que nous ne soyons pas vus depuis des dizaines d'années, mon meilleur ami.

Quant à moi, il y a peu à raconter. Appelez-moi simplement Ian. Je n'ai eu qu'un seul rêve, un rêve modeste : étudier la médecine et l'exercer. Le sort a eu la bonté de me l'accorder. Comme l'a écrit un jour Ben dans une de ses lettres : «*Je passais par là et j'ai assisté aux événements.* »

Je rappelle que, dans les derniers jours de ce mois de mai 1932, nous allions, nous, les sept membres de la Chowbar Society, avoir seize ans. C'était l'âge fatidique, à la fois craint et impatiemment attendu par tous.

À seize ans révolus, l'orphelinat St. Patrick's, comme le stipulaient ses statuts, nous rendait à la société pour que nous devenions des hommes et des femmes capables de nous conduire en adultes responsables. Cette date avait une autre signification, que nous comprenions tous parfaitement : la dissolution définitive de la Chowbar Society. À dater de cet été, nos chemins se sépareraient, et malgré nos promesses et les aimables mensonges que nous avions réussi à nous faire à nous-mêmes, nous savions que le lien qui nous avait unis ne tarderait pas à s'effacer comme un château de sable sur le bord de la mer.

Les souvenirs que je garde de ces années à St. Patrick's sont si nombreux qu'aujourd'hui encore je me surprends à sourire quand j'évoque les idées folles de Ben et les histoires fantastiques que nous avons partagées dans le Palais de Minuit. Mais de toutes ces images qui refusent de se perdre dans le flot du temps, celle dont je me suis toujours souvenu avec le plus d'intensité est cette figure que j'ai cru voir si souvent dans la nuit du dortoir que partageaient presque tous les garçons de St. Patrick's, une longue pièce, sombre, haute de plafond et voûtée, qui évoquait une salle d'hôpital. Je suppose que, une fois de plus, l'insomnie, dont je n'ai cessé de souffrir que deux ans après mon arrivée en Europe, a fait de moi le spectateur de ce qui se passait pendant que les autres dormaient paisiblement.

C'est là, dans cette salle ingrate, qu'il m'a tant de fois semblé voir passer cette pâle lueur. Sans savoir comment réagir, je m'efforçais de m'asseoir dans mon lit et d'en suivre le reflet jusqu'au bout de la pièce ; et alors je l'observais de nouveau comme j'avais si souvent rêvé de le faire. La silhouette évanescente d'une femme enveloppée d'une lumière spectrale se penchait sur le lit où Ben dormait profondément. Je luttais pour garder les yeux ouverts et croyais voir la dame de lumière caresser maternellement mon ami. Je contemplais son visage ovale et translucide, nimbé d'un halo brillant et vaporeux. La dame levait les yeux et me regardait. Loin d'avoir peur, je me perdais dans l'abîme de ce regard triste et blessé. La princesse de lumière me souriait, puis, après avoir encore caressé la figure de Ben, sa silhouette disparaissait dans les airs, comme une pluie de larmes d'argent.

J'ai toujours imaginé que cette vision incarnait l'ombre d'une mère que Ben n'avait jamais connue et, dans un coin de mon cœur, je nourrissais l'espoir enfantin qu'un jour, si j'arrivais à dormir pour de bon, une apparition comme celle-là viendrait, elle aussi, veiller sur moi. C'est là l'unique secret que je n'ai jamais partagé avec personne, pas même avec Ben.

La dernière nuit de la Chowbar Society

Calcutta, 25 mai 1932

Durant toutes les années où Thomas Carter avait été à la tête de l'orphelinat St. Patrick's, il avait dispensé les cours de littérature, d'histoire et d'arithmétique avec l'aisance souveraine de l'homme qui, n'étant spécialiste de rien, connaît un peu tout. La seule matière qu'il n'avait jamais été capable d'enseigner à ses élèves était l'art de dire adieu. Année après année défilaient devant lui les visages mi-réjouis mi-effrayés de ceux que la loi allait soustraire à son influence et à la protection de l'institution qu'il dirigeait. En les voyant franchir le seuil de St. Patrick's, Thomas Carter comparait souvent ces jeunes gens à des livres en blanc dont il avait été chargé d'écrire les premiers chapitres d'une histoire qu'on ne lui permettait jamais d'achever.

Sous son aspect rigoureux et sévère, peu enclin aux effusions sentimentales et aux discours grandiloquents, nul n'appréhendait plus que Thomas Carter la date fatidique où ces *livres* s'échappaient pour toujours de la table où il les *écrivait*. Ils passeraient vite dans des mains inconnues et sous des plumes peu scrupuleuses quand il s'agirait de rédiger des épilogues sombres et bien éloignés des rêves et des attentes avec lesquels ses pupilles prenaient leur envol dans les rues de Calcutta.

L'expérience l'avait obligé à renoncer au désir de suivre les pas que ses élèves entreprenaient une fois qu'on ne permettait plus à sa main de les guider. Pour lui, les adieux allaient toujours de pair avec le goût amer de la déception : tôt ou tard, la vie qui avait privé ces enfants de passé paraissait leur voler également leur avenir.

Dans cette chaude nuit de mai, tandis qu'il entendait les voix des enfants dans la modeste fête organisée dans la cour du devant, Thomas Carter contemplait, depuis l'obscurité de son bureau, les lumières de la ville qui scintillaient sous la voûte étoilée et les bancs de nuages noirs qui fuyaient jusqu'à l'horizon, taches d'encre dans une coupe d'eau cristalline.

Une fois de plus, il avait décliné l'invitation de ses pupilles et était resté dans son fauteuil, silencieux, prostré, sans autre éclairage que les reflets des ampoules multicolores dont Vendela et les élèves avaient décoré les arbres et la façade de l'orphelinat, à la manière d'un bateau le jour de son lancement. Il aurait le temps de prononcer ses mots d'adieu au cours des jours qui le séparaient encore de l'exécution du règlement officiel l'obligeant à restituer les enfants à la rue dont il les avait sauvés.

Comme elle en avait pris l'habitude ces derniers temps, Vendela ne tarda pas à frapper à sa porte. Pour une fois, elle entra sans attendre la réponse et ferma derrière elle. Carter observa le visage exceptionnellement joyeux de l'infirmière en chef et sourit dans la pénombre.

— Nous nous faisons vieux, Vendela, dit le directeur de l'orphelinat.

— *Vous* vous faites vieux, corrigea Vendela. Moi, je n'en suis encore qu'à l'âge mûr. Vous n'avez pas l'intention de descendre à la fête? Les enfants seraient heureux de vous voir. Je leur ai dit que vous n'aviez pas particulièrement le cœur à vous réjouir... Mais s'ils ne m'ont pas écoutée durant toutes ces années, ce n'est pas aujourd'hui qu'ils vont commencer.

Carter alluma la lampe de bureau et, d'un geste, invita Vendela à s'asseoir.

— Depuis combien de temps travaillons-nous ensemble, Vendela?

— Vingt-deux ans, monsieur Carter. Plus longtemps que je n'ai supporté mon défunt mari – puisse-t-il reposer en paix.

La plaisanterie fit rire Carter.

— Comment avez-vous fait pour m'endurer toutes ces années? Soyez franche. C'est jour de fête et je me sens plein d'indulgence.

Vendela haussa les épaules et joua avec un serpentin rouge qui s'était pris dans ses cheveux.

— Le salaire n'est pas mauvais et j'aime bien les enfants. Vous ne pensez vraiment pas descendre?

Carter fit lentement non de la tête.

— Je ne veux pas gâcher leur fête. Et puis je ne serais pas capable de supporter une minute les extravagances de Ben.

— Ben est calme, ce soir. Triste, je suppose. Les pensionnaires ont donné son billet à Ian.

Le visage de Carter s'illumina. Depuis des mois, les membres de la Chowbar Society (dont, contre tout pronostic, il connaissait parfaitement l'existence clandestine) réunissaient de l'argent afin d'acheter le billet de bateau pour Southampton qu'ils voulaient offrir à leur ami Ian comme cadeau d'adieu. Ian avait manifesté son désir d'étudier la médecine dans les années à venir et Carter, sur la suggestion d'Isobel et de Ben, avait écrit à diverses écoles anglaises pour recommander le garçon et solliciter une bourse. La notification de la bourse était arrivée l'année précédente, mais le coût du voyage jusqu'à Londres dépassait les prévisions.

Devant ce problème, Roshan avait suggéré de faire un hold-up dans une compagnie de navigation à deux rues de l'orphelinat. Siraj avait proposé d'organiser un match de boxe. Carter avait soustrait une somme de sa modeste fortune personnelle et Vendela avait fait de même. Ce n'était pas encore suffisant.

C'est pourquoi Ben avait décidé d'écrire un drame en trois actes intitulé *Les Spectres de Calcutta* (un salmigondis fantasmagorique qui se terminait par la mort de tous les personnages, y compris les machinistes), lequel, avec Isobel en jeune première dans le rôle de Lady Windmar, les autres membres du groupe dans les rôles secondaires et une mise en scène haute en couleur de Ben lui-même, avait été joué dans diverses écoles de la ville, suscitant l'enthousiasme du public, à défaut de celui de la critique. Le résultat avait permis de compléter la somme nécessaire pour le voyage de Ian. Après quoi, Ben s'était livré à un panégyrique enflammé de l'art du commerce et de l'instinct infaillible du public quand il s'agissait de reconnaître un chef-d'œuvre.

— Il en avait les larmes aux yeux, expliqua Vendela.

— Ian est un garçon formidable, qui manque un peu d'assurance, mais formidable, affirma Carter avec fierté. Il fera bon usage de ce billet et de la bourse.

— Il vous a réclamé. Il voulait vous remercier de votre aide.

— Vous ne lui avez pas dit que j'y étais allé de ma poche ? questionna Carter, alarmé.

— Si, mais Ben m'a démentie en prétendant que vous aviez dépensé tout le budget de l'année pour payer vos dettes de jeu.

Le brouhaha de la fête continuait de monter de la cour. Carter fronça les sourcils.

— Ce garçon est le diable. S'il ne devait pas partir, je le chasserais moi-même.

— Vous adorez ce garçon, Thomas, riposta en riant Vendela, qui se leva. Et il le sait.

L'infirmière se dirigea vers la porte, mais, arrivée sur le seuil, elle se retourna. Elle ne capitulait pas facilement.

— Pourquoi ne descendez-vous pas ?

— Bonne nuit, Vendela, trancha Carter.

— Vous êtes un vieux grognon.

— Si vous faites encore allusion à mon âge, je me verrai dans l'obligation de ne plus me conduire en gentleman...

Vendela marmonna des paroles inintelligibles à propos de l'inutilité de son insistance et rendit Carter à sa solitude. Le directeur de St. Patrick's éteignit la lampe de bureau et retourna à la fenêtre pour observer la fête entre les fentes du volet, un jardin éclairé par les feux de Bengale et la lumière des ampoules qui teintait d'ocre des visages familiers et souriants sous la pleine lune. Il soupira. Même si aucun d'eux ne le savait, ils avaient tous un billet pour aller quelque part, mais Ian était le seul à connaître sa destination.

— Encore vingt minutes avant minuit, annonça Ben.

Ses yeux brillaient pendant qu'il observait les chapelets de feu doré que répandaient dans l'air une pluie de brins de paille enflammés.

— J'espère que Siraj a de bonnes histoires à nous raconter, dit Isobel en observant en transparence le fond du verre qu'elle tenait à la main comme si elle espérait y trouver quelque chose.

— Les meilleures, j'en suis sûr, assura Roshan. C'est notre dernière nuit. La fin de la Chowbar Society.

— Je me demande ce que va devenir le Palais.

Depuis des années, aucun d'eux ne parlait de la grande bâtisse abandonnée autrement qu'en l'appelant ainsi.

— Devine, suggéra Ben. Un commissariat ou une

banque. Est-ce que ce n'est pas ce qui se construit chaque fois qu'on démolit quelque chose, dans toutes les villes du monde?

Siraj les avait rejoints et soupesa les funestes prédictions de Ben.

— Peut-être qu'ils ouvriront un théâtre, dit le garçon souffreteux en regardant Isobel, son amour impossible.

Ben leva les yeux au ciel et hocha la tête. Dans son adoration pour Isobel, Siraj outrepassait toujours les limites de la dignité.

— Peut-être qu'ils n'y toucheront pas, dit Ian qui avait écouté ses amis en silence, dissimulant les coups d'œil furtifs qu'il jetait sur les dessins que Michael traçait sur un bout de papier.

— Qu'est-ce que tu dessines, Canaletto? s'enquit Ben d'une voix où il n'avait mis aucune malice.

Michael leva pour la première fois les yeux de son dessin et regarda ses amis qui l'observaient comme s'il venait de tomber du ciel. Il sourit timidement et montra l'œuvre à son public.

— C'est nous, expliqua le portraitiste attitré du club des sept jeunes gens.

Les six autres membres de la Chowbar Society scrutèrent le dessin pendant cinq longues secondes dans un silence religieux. Le premier à écarter les yeux du papier fut Ben. Michael reconnut sur le visage de son ami l'expression impénétrable que l'on pouvait y observer quand il était pris de ses étranges crises de mélancolie.

— C'est mon nez, ça ? s'exclama Siraj. Je n'ai pas ce nez-là ! On dirait un crochet !

— C'est tout ce que tu as, précisa Ben en esquissant un sourire dont Michael ne fut pas dupe mais qui trompa les autres. Ne te plains pas : s'il t'avait croqué de profil, on verrait juste un trait, tout droit, et rien d'autre.

— Laisse-moi voir, dit Isobel, en s'emparant du dessin et en l'étudiant en détail à la lueur vacillante d'une ampoule. C'est comme ça que tu me vois ?

Michael confirma.

— Tu t'es représenté toi-même en train de regarder dans une autre direction que les autres, fit observer Ian.

— Michael regarde toujours ce que les autres ne voient pas, dit Roshan.

— Et qu'est-ce que tu as vu en nous que personne d'autre n'est capable d'observer, Michael ? demanda Ben.

Ben s'unit à Isobel pour analyser la composition. Les traits au crayon gras de Michael les avait placés devant un bassin dont l'eau reflétait leurs visages. Dans le ciel, une pleine lune et, au loin, un bois à perte de vue. Ben examina le reflet un peu brouillé des visages sur la surface du bassin, et les compara à ceux qui se tenaient devant. Pas un n'avait la même expression que son reflet. Près de lui, la voix d'Isobel le tira de ses réflexions.

— Je peux le garder, Michael ? demandait-elle.

— Pourquoi toi ? protesta Seth.

Ben posa sa main sur l'épaule du gros garçon ben-gali et lui adressa un coup d'œil bref et intense.

— Laisse-la le prendre, murmura-t-il.

Seth céda et Ben lui donna une tape affectueuse dans le dos, tout en observant discrètement une vieille dame élégamment mise qui franchissait le seuil de la cour de St. Patrick's et se dirigeait vers le bâtiment principal, accompagnée d'une jeune fille qui parais-sait avoir le même âge que lui et ses amis.

— Il se passe quelque chose ? demanda Ian à voix basse près de lui.

Ben fit lentement non de la tête.

— Nous avons de la visite, se contenta-t-il de dire sans quitter des yeux la femme et la jeune fille. Ou alors, ça y ressemble.

Lorsque Bankim frappa à sa porte, Thomas Carter avait déjà repéré l'arrivée de cette femme et de son accompagnatrice par la fenêtre d'où il contemplait la fête dans la cour. Il alluma la lampe de bureau et signifia à son adjoint d'entrer.

Bankim était un jeune homme aux traits fortement bengalis et aux yeux vifs et pénétrants. Après avoir grandi à St. Patrick's, il était revenu à l'orphelinat comme maître de physique et de mathématiques après plusieurs années d'enseignement dans diverses écoles de la province. L'heureuse conclusion de l'histoire de Bankim était une des exceptions qui permettaient à Carter de garder le moral au fil des ans. Le voir là, adulte, formant d'autres jeunes dans les salles où il avait été jadis élève était la meilleure récompense qu'il pouvait imaginer pour tous ses efforts.

— Désolé de vous déranger, Thomas, commença Bankim. Il y a en bas une dame qui affirme devoir vous parler d'urgence. Je lui ai répondu que vous n'y étiez pas et que nous avions une fête, mais elle n'a pas voulu m'écouter et insiste énergiquement, et quand je dis ça, c'est un euphémisme.

Carter regarda son adjoint avec étonnement et consulta sa montre.

— Il est presque minuit. Qui est cette femme ?

Bankim haussa les épaules.

— Je ne sais pas, mais ce que je sais, c'est qu'elle ne partira pas avant que vous l'ayez reçue.

— Elle n'a pas précisé ce qu'elle voulait ?

— Seulement de vous remettre ceci, répondit Bankim en tendant une petite chaîne brillante. Elle a assuré que vous sauriez ce que c'est.

Carter prit la chaîne et l'examina sous la lampe. Elle portait une médaille, un cercle qui représentait une lune en or. L'image tarda quelques secondes à se préciser dans sa mémoire. Il ferma les yeux et sentit un nœud se former dans sa gorge et son estomac. Il détenait une médaille très semblable à celle-là, à l'intérieur du coffre qu'il gardait sous clef dans la vitrine de son bureau. Une médaille qu'il n'avait pas regardée depuis seize ans.

— Un problème, Thomas ? demanda Bankim, visiblement inquiet du changement d'expression qui se dessinait sur le visage de Carter.

66

— Aucun, répliqua ce dernier laconiquement. Fais-la monter. Je vais la recevoir.

Bankim l'observa avec étonnement et, l'espace d'un instant, Carter crut que son ancien pupille allait formuler la question qu'il ne voulait surtout pas entendre.

Ben observa longuement la jeune fille qui attendait patiemment sous l'arc de l'entrée principale de St. Patrick. Bankim était revenu et avait prié la vieille dame de bien vouloir le suivre. Celle-ci, d'un geste autoritaire sans équivoque, avait signifié à sa compagne d'attendre son retour près de la porte, comme une statue de pierre. Il était évident que la vieille dame venait visiter Carter et, sachant que la vie du directeur de l'orphelinat ne laissait guère de place aux frivolités, Ben considéra que les visites à minuit de belles mystérieuses, quel que soit leur âge, s'inscrivaient en plein dans le chapitre des événements imprévus. Il sourit et se concentra de nouveau sur la jeune fille. Elle était grande et mince, d'une mise simple et sans vulgarité – des vêtements d'un style personnel et unique qui, de toute évidence, n'avait pas été achetés dans un bazar de la *ville noire*. Son visage, qu'il n'arrivait pas à distinguer nettement depuis l'endroit où il se trouvait, paraissait offrir une grande douceur de traits et une peau pâle et brillante.

— Tu es toujours là ? murmura Ian à son oreille.

D'un signe de la tête, Ben indiqua la jeune fille, sans broncher.

— Il est presque minuit, ajouta Ian. On se réunit au

Palais dans quelques minutes. Séance de clôture, je te le rappelle.

Ben acquiesça, absent.

— Attends un instant, dit-il, et il marcha d'un pas décidé vers l'inconnue.

— Ben ! appela Ian derrière lui. Pas maintenant, Ben...

Ce dernier ignora l'injonction de son ami. La curiosité qui le poussait à résoudre cette énigme comptait plus que les formalités protocolaires de la Chowbar Society. Il afficha un sourire béat de bon élève et se dirigea tout droit vers la jeune fille. Celle-ci le vit approcher et baissa les yeux.

— Bonsoir. Je suis l'adjoint de Mr Carter, recteur de St. Patrick's, déclara-t-il allègrement. Puis-je faire quelque chose pour toi ?

— Non, pas vraiment. Ton camarade a déjà conduit ma grand-mère chez le directeur.

— Ta grand-mère ! s'exclama Ben. Je comprends. J'espère qu'il ne se passe rien de grave. Je veux dire qu'il est minuit, et je me demandais s'il était arrivé quelque chose.

L'inconnue eut un faible sourire avec un léger hochement de tête pour dire non. Ben acquiesça tout en songeant que ce ne serait pas facile.

— Mon nom est Ben, avança-t-il aimablement.

— Sheere, répondit la jeune fille en regardant la porte comme si elle espérait en voir ressurgir sa grand-mère.

Ben se frotta les mains.

— Bien, Sheere. Pendant que mon collègue Bankim

conduit ta grand-mère au bureau de Mr Carter, je pourrais peut-être t'offrir notre hospitalité. Le chef insiste toujours pour que nous soyons aimables avec les visiteurs.

— Tu n'es pas un peu jeune pour être l'adjoint du recteur ? s'enquit Sheere en évitant les yeux du garçon.

— Jeune ? Je suis touché du compliment, mais je regrette de te préciser que j'aurai bientôt vingt-trois ans.

— On ne le penserait vraiment pas.

— C'est de famille. Nous avons tous une peau qui résiste au vieillissement. Ma mère, par exemple, quand elle est avec moi dans la rue, figure-toi qu'on la prend pour ma sœur.

— Vraiment ? s'étonna Sheere en réprimant un rire nerveux.

Elle n'avait pas cru un mot de son histoire.

— Alors ? insista Ben. Acceptes-tu l'hospitalité de St. Patrick's ? Nous donnons aujourd'hui une fête pour certains pensionnaires qui vont nous quitter. C'est triste, mais toute une vie s'ouvre devant eux. C'est aussi émouvant.

Sheere riva ses yeux perlés sur Ben et ses lèvres dessinèrent lentement un sourire incrédule.

— Ma grand-mère m'a demandé de l'attendre ici.

Ben indiqua la porte.

— Ici ? Précisément ici ?

Sheere acquiesça, sans comprendre.

— Écoute, commença Ben en faisant de grands gestes, je regrette d'avoir à te le dire, mais, bon, je pensais que ce ne serait pas nécessaire d'en parler. Ce sont des choses qui ne sont pas bonnes pour l'image du centre, mais tu ne me laisses pas le choix : il y a un problème de chute de pierres. Sur la façade.

La jeune fille le dévisagea, ahurie.

— De chute de pierres ?

Ben confirma gravement d'un air consterné.

— En effet. C'est désolant. Ici, à l'endroit exact où tu te tiens, ça ne fait pas un mois que Mrs Potts, notre vieille cuisinière, puisse Dieu la protéger encore longtemps, a reçu un fragment de brique tombé des combles.

Sheere rit.

— Je ne vois pas en quoi ce malheureux accident peut être motif à plaisanterie, déclara Ben d'une voix glaciale.

— Je ne crois rien de tout ce que tu me racontes. Tu n'es pas adjoint du recteur, tu n'as pas vingt-trois ans et la cuisinière n'a pas été victime d'une pluie de briques il y a un mois, le défia Sheere. Tu es un menteur. Tu n'as pas prononcé un mot de vrai depuis que tu as commencé à parler.

Ben soupesa avec soin la situation. La première partie de son stratagème, comme c'était prévisible, faisait eau de toute part, et un virage prudent mais rusé s'imposait s'il voulait poursuivre.

— Bon, j'admets que je me suis peut-être laissé un peu emporter par mon imagination, mais tout ce que j'ai dit n'était pas faux.

— Ah, non ?

— Je ne t'ai pas menti à propos de mon nom. Je

m'appelle bien Ben. Et l'offre de notre hospitalité était également sincère.

Sheere eut un large sourire.

— J'aimerais l'accepter, Ben, mais je dois attendre ici. Sérieusement.

Le garçon se frotta les mains et adopta un air de froide résignation.

— Bien. J'attendrai avec toi, annonça-t-il solennellement. Si une autre pierre doit tomber, au moins que ce soit sur moi.

Sheere haussa les épaules avec indifférence et acquiesça, fixant de nouveau la porte. Une longue minute de silence s'écoula avant que l'un des deux ne desserre les dents.

— La nuit est chaude, commenta Ben.

Sheere se retourna et lui adressa un regard vaguement hostile.

— Tu vas rester là toute la nuit ?

— Faisons un pacte. Tu viens prendre un verre de délicieuse citronnade glacée avec moi et mes amis, et ensuite je te laisse en paix.

— Je ne peux pas, Ben. Vraiment.

— Nous ne serons qu'à vingt mètres. Nous pouvons mettre une clochette à la porte.

— C'est si important pour toi ?

Ben fit signe que oui.

— C'est ma dernière semaine dans cette institution. J'ai passé toute ma vie ici, et dans cinq jours je me retrouverai seul. Vraiment seul. Je ne sais pas si je pourrai encore passer d'autres nuits comme celle-là, entre amis. Tu ne sais pas ce que c'est.

Sheere l'observa un long moment.

— Si, je le sais, dit-elle enfin. Emmène-moi boire cette citronnade.

Une fois Bankim parti, Carter se servit un petit verre de brandy et en offrit un à sa visiteuse. Aryami déclina la proposition et attendit que Carter prenne place dans son fauteuil, tournant le dos à la fenêtre sous laquelle les pensionnaires continuaient leur fête loin du silence glacial qui flottait dans la pièce. Carter trempa ses lèvres dans la liqueur et adressa un regard interrogateur à la vieille dame. Le temps n'avait pas gommé une once de l'autorité qui émanait de sa personne, et il pouvait encore discerner dans ses yeux le feu intérieur qu'il avait vu brûler chez celle qui avait été la femme de son meilleur ami à une époque qui, aujourd'hui, lui paraissait trop lointaine. Ils se dévisagèrent longuement sans parler.

— Je vous écoute, dit enfin Carter.

— Il y a seize ans, je me suis vue dans l'obligation de vous confier la vie d'un enfant, monsieur Carter, commença Aryami d'une voix basse mais ferme. Ce fut une des décisions les plus difficiles de ma vie et je sais que, durant ces années, vous n'avez pas déçu la confiance que j'ai mise en vous. Tout ce temps, je n'ai jamais voulu intervenir dans la vie de l'enfant, consciente que nulle part ailleurs il ne pouvait être mieux qu'ici, sous votre protection. Je n'ai pas eu l'occasion de vous exprimer ma reconnaissance pour ce que vous avez fait pour le garçon.

— Je me suis borné à remplir mes obligations. Mais je ne crois pas que ce soit pour parler de cela que vous êtes venue aujourd'hui en pleine nuit.

— J'aimerais vous répondre que si, mais ce serait mentir, dit Aryami. Je suis venue parce que la vie du garçon est en danger.

— Ben.

— C'est le nom que vous lui avez donné. Tout ce qu'il sait et tout ce qu'il est, c'est à vous qu'il le doit, monsieur Carter. Néanmoins il y a quelque chose dont ni vous ni moi ne pourrons le protéger plus longtemps : le passé.

Les aiguilles de la pendule de Thomas Carter se superposèrent à la verticale de minuit. Il vida son verre de brandy et jeta un regard par la fenêtre sur la cour. Ben parlait avec une jeune fille qu'il ne connaissait pas.

— Comme je vous l'ai dit, je vous écoute.

Aryami se redressa et, croisant les mains, commença son récit...

« Seize années durant, j'ai parcouru ce pays en quête de refuges précaires où me cacher. Il y a deux semaines, alors que je m'étais arrêtée pour à peine un mois chez des parents de Delhi afin de me remettre d'une maladie, j'ai reçu une lettre dans mon séjour provisoire. Personne ne savait ni ne pouvait savoir que nous habitions là, ma petite-fille et moi. Lorsque je l'ai ouverte, j'ai constaté qu'elle contenait une feuille blanche, sans un seul signe dessus. J'ai pensé qu'il s'agissait d'une erreur

73

ou d'une mauvaise plaisanterie, jusqu'au moment où j'ai examiné l'enveloppe. Elle portait le timbre de la poste de Calcutta. L'encre du tampon était floue et il était difficile de déchiffrer une partie de ce qui était imprimé, mais j'ai réussi à lire la date. C'était celle du 25 mai 1916.

«J'ai gardé cette lettre, dont tout laissait penser qu'elle avait mis seize ans à traverser l'Inde pour arriver jusqu'à la porte de cette maison, en un lieu que j'étais seule à connaître, et je ne l'ai plus examinée avant cette nuit. Ma vue fatiguée ne m'avait pas joué de tours : la date était bien celle que j'avais cru entrevoir sur le cachet brouillé, mais quelque chose avait changé. La feuille qui, auparavant, était blanche portait maintenant une phrase écrite à l'encre rouge et si fraîche qu'un simple frôlement des doigts la faisait encore baver sur le papier poreux. "Ils ne sont plus des enfants, grand-mère. Je suis revenu prendre ce qui m'appartient. Écarte-toi de mon chemin." Tels étaient les mots que j'ai lus dans cette lettre avant de la jeter au feu.

» J'ai deviné alors qui m'avait envoyé la lettre, et j'ai compris que le moment était venu de déterrer les vieux souvenirs que j'avais appris à ignorer au cours des ans. Je ne sais si je vous ai jamais parlé de ma fille Kylian, monsieur Carter. Je ne suis plus aujourd'hui qu'une vieille femme qui attend le terme de ses jours, mais il y a eu un temps où j'ai été aussi une mère, la mère de la plus merveilleuse des créatures qui aient foulé le sol de cette ville.

» Je me souviens de ces jours comme des plus

heureux de mon existence. Kylian avait épousé l'un des hommes les plus brillants de ce pays, et elle était partie vivre avec lui dans la maison qu'il avait lui-même construite dans le nord de la ville, une maison comme on n'en avait encore jamais vu. Le mari de ma fille, Lahawaj Chandra Chatterghee, était ingénieur et écrivain. Il a été le premier à dresser les plans du réseau télégraphique de ce pays, monsieur Carter, un des premiers à établir ceux du système d'électrification qui décidera de l'avenir de nos cités, un des premiers à construire le réseau de voies ferrées autour de Calcutta… Un des premiers dans tout ce qu'il entreprenait.

» Notre bonheur n'a pas duré longtemps. Chandra Chatterghee a perdu la vie dans le terrible incendie qui a détruit l'ancienne gare de Jheeter's Gate, sur l'autre rive du Hooghly. Vous avez sûrement vu un jour cet édifice. Aujourd'hui il est abandonné, mais il a été en son temps une des plus glorieuses constructions édifiées à Calcutta. Une architecture métallique révolutionnaire, sillonnée de tunnels, avec de multiples niveaux et des systèmes de circulation d'air et de connexions hydrauliques avec les rails que des ingénieurs du monde entier venaient visiter et admirer. Tout cela, créé par l'ingénieur Chandra Chatterghee.

» La nuit de l'inauguration officielle, Jheeters's Gate a brûlé inexplicablement. Un train transportant plus de trois cents orphelins à destination de Bombay est resté pris dans les ténèbres des tunnels qui s'enfonçaient dans la terre. Aucun n'est sorti vivant de ce train, qui est toujours arrêté en quelque point introuvable du labyrinthe de galeries souterraines de la rive ouest de Calcutta.

» La nuit où l'ingénieur est mort dans ce train restera dans la mémoire des habitants de cette ville comme l'une des plus grandes tragédies qu'ait vécue Calcutta. Beaucoup y voient le symbole des ombres qui s'abattaient définitivement sur la cité. Des rumeurs ont circulé selon lesquelles l'incendie avait été provoqué par un groupe de financiers britanniques à qui la nouvelle ligne de chemin de fer portait préjudice en démontrant que le transport maritime des marchandises, capital pour le commerce de la ville, avait fait son temps. Les voies ferrées étaient le chemin grâce auquel ce pays et cette ville auraient pu entreprendre leur marche vers des lendemains libérés de l'invasion britannique. La nuit où Jheeter's Gate a brûlé, ces rêves se sont transformés en cauchemars.

» Quelques jours après la disparition de l'ingénieur Chandra, ma fille Kylian, qui attendait son premier enfant, a été l'objet de menaces de la part d'un étrange personnage sorti des ténèbres de Calcutta. Un assassin qui avait juré de tuer la femme et la descendance de l'homme qu'il accusait de tous ses malheurs. Cet homme, ce criminel, était celui qui a causé l'incendie où Chandra a perdu la vie. Un jeune officier de l'armée britannique, un ancien prétendant à la main de ma fille, le lieutenant Michael Peake, s'est proposé pour arrêter ce fou, mais la tâche s'est révélée beaucoup plus compliquée qu'il ne l'avait cru.

» La nuit où ma fille allait accoucher de son enfant, des hommes sont entrés dans sa maison et l'ont enlevée. Des tueurs à gages. Des individus sans nom ni conscience qu'il est facile de recruter dans les rues pour quelques roupies. Pendant une semaine, le lieutenant, au bord du désespoir, a exploré les moindres recoins de la ville à la recherche de ma fille. Après cette semaine dramatique, Peake a eu une terrible intuition, qui s'est avérée. L'assassin avait emmené Kylian dans les ruines de Jheeter's Gate. Là, au milieu des immondices – et des décombres de la tragédie –, ma fille avait donné naissance à un garçon : Ben, dont vous avez fait un homme, monsieur Carter.

» Ma fille a donné naissance à Ben, mais aussi à sa sœur. De mon côté, j'ai essayé d'en faire une femme. Je lui ai donné le prénom dont sa mère avait toujours rêvé pour elle : Sheere.

» Le lieutenant Peake, au prix de sa vie, a réussi à arracher les deux enfants aux manœuvres de l'assassin. Mais ce criminel, aveuglé par la rage, a juré de suivre leurs traces et de les supprimer dès qu'ils auraient atteint l'âge adulte, pour se venger de leur père, l'ingénieur Chandra Chatterghee. Tel était son unique but : détruire tout vestige de l'œuvre et de la vie de son ennemi, à n'importe quel prix.

» J'ai décidé que le seul moyen de sauver la vie des enfants était de les séparer et de cacher leur identité et leur lieu de résidence. Le reste de l'histoire de Ben, vous la connaissez mieux que moi. Quant à Sheere, je l'ai gardée avec moi. J'ai entrepris un long périple à travers le pays en élevant l'enfant dans la mémoire du grand homme qui avait été son père et de la grande femme qui lui avait donné le jour, ma fille. Je ne lui

en ai jamais raconté plus que ce que j'estimais nécessaire. Dans ma naïveté, j'avais fini par penser que
l'éloignement dans l'espace et le temps effacerait la
trace du passé. Mais rien ne peut modifier nos pas
perdus. Lorsque j'ai reçu cette lettre, j'ai su que ma
fuite avait touché à sa fin et que c'était le moment de
revenir à Calcutta pour vous avertir de ce qui se pré-
parait. Je n'ai pas été sincère avec vous la nuit où je
vous ai écrit, monsieur Carter, mais j'ai agi avec mon
cœur, en croyant en conscience que c'était ce que je
devais faire.

» Incapable de laisser ma petite-fille seule, puisque
l'assassin savait où nous habitions, je l'ai emmenée
avec moi, et nous avons entrepris le voyage de retour.
Durant tout le trajet, je ne pouvais écarter de mon
esprit que nous avions rendez-vous avec notre destin.
J'avais la certitude que, maintenant que Ben et Sheere
laissaient derrière eux leur enfance pour devenir des
adultes, cet assassin était ressorti de l'ombre pour
accomplir son ancienne promesse. Et j'ai compris,
avec la lucidité que seule peut nous donner l'approche
de la tragédie que, cette fois, il ne s'arrêterait devant
rien ni devant personne… »

Thomas Carter resta longtemps silencieux sans
écarter son regard de ses mains posées sur le bureau.
Quand il leva les yeux, il constata qu'Aryami était bien
là, que tout ce qu'il venait d'entendre n'était pas le
fruit de son imagination. Il considéra que la seule
décision raisonnable qu'il se sentait capable de prendre

en cet instant était de se verser un autre verre de brandy et de le boire en solitaire à sa propre santé.

— Vous ne me croyez pas…

— Je n'ai pas dit ça, objecta Carter.

— Vous n'avez rien dit. C'est bien ce qui m'inquiète.

Carter but une gorgée de brandy en se demandant intérieurement sous quel déplorable prétexte il avait attendu dix ans pour découvrir le charme sans égal de cet alcool qu'il conservait dans sa vitrine avec le soin que l'on réserve à une relique sans utilité pratique.

— Il n'est pas facile de croire ce que vous venez de me raconter, Aryami. Mettez-vous à ma place.

— Pourtant, il y a seize ans, vous avez accepté de prendre le garçon.

— J'ai accepté de prendre un enfant abandonné, pas de croire à une histoire improbable. C'est mon devoir et mon travail. Cette maison est un orphelinat et j'en suis le directeur. C'est tout, et ça s'arrête là.

— Non, ça ne s'arrête pas là, monsieur Carter. J'ai pris la peine de m'informer. Vous n'avez jamais parlé à quiconque de la manière dont Ben est arrivé chez vous. Vous avez toujours gardé le silence. Il n'existe aucun document qui fasse état de son entrée dans votre institution. Il fallait bien que vous ayez une raison pour vous conduire de la sorte, si ce que vous appelez aujourd'hui une *histoire improbable* ne méritait aucun crédit.

— Je regrette de vous contredire, Aryami, mais ces documents existent. Avec d'autres dates et d'autres circonstances. Nous sommes une institution officielle, pas une maison des mystères.

— Vous n'avez pas répondu à ma question, trancha Aryami. Ou, plutôt, vous n'avez fait que me donner de nouvelles raisons pour vous la poser une fois de plus : qu'est-ce qui vous a conduit à falsifier l'histoire de Ben, si vous ne croyiez pas aux faits que je vous exposais dans ma lettre ?

— Avec tout le respect que je vous dois, je ne vois pas pourquoi je devrais répondre.

Les yeux d'Aryami se rivèrent sur ceux de Carter. Il tenta d'esquiver leur regard. Un sourire amer affleura sur les lèvres de la vieille dame.

— Vous l'avez vu, dit-elle.

— S'agirait-il d'un nouveau personnage de cette histoire ? demanda-t-il.

— Qui ment à l'autre, monsieur Carter ?

La conversation semblait devoir tourner court. Carter se leva et fit quelques pas dans la pièce pendant que la vieille dame l'observait attentivement.

Il se tourna vers Aryami.

— Supposons que j'accepte votre histoire. Je précise bien : simple supposition. Qu'attendez-vous de moi ?

— Que vous éloigniez Ben d'ici, répondit sèchement Aryami. Que vous lui parliez. Que vous l'avertissiez. Je ne vous demande rien que vous n'ayez déjà fait pour ce garçon durant toutes ces années.

— J'ai besoin de réfléchir à tête reposée.

— Ne prenez pas trop de temps. Cet homme a attendu seize ans, peut-être qu'un jour de plus ne compte pas pour lui. Mais peut-être que si.

Carter se laissa de nouveau choir dans son fauteuil et esquissa un geste qui se voulait apaisant.

— J'ai reçu la visite d'un homme nommé Jawahal le jour où nous avons trouvé Ben. Il m'a posé des questions sur le garçon et je lui ai affirmé que je n'étais au courant de rien. Après quoi, je n'ai plus jamais entendu parler de lui.

— Les hommes utilisent beaucoup de noms, beaucoup d'identités, monsieur Carter, dit Aryami d'un ton acerbe. Je n'ai pas traversé toute l'Inde pour m'asseoir et assister sans réagir à la mort des enfants de ma fille du fait de l'absence de décision d'un vieil idiot, passez-moi l'expression.

— Vieil idiot ou pas, j'ai besoin de temps pour réfléchir calmement. Il est peut-être nécessaire que j'en parle à la police.

Aryami soupira.

— Le temps manque, et ça ne servira à rien, répliqua-t-elle durement. Demain soir, je quitterai Calcutta avec ma petite-fille. Le même jour, dans l'après-midi, Ben doit quitter cette institution. Il faut qu'il parte très loin d'ici. Vous avez quelques heures pour parler au garçon et tout préparer.

— Ce n'est pas si simple, objecta Carter.

— C'est tellement simple que si vous ne lui parlez pas, c'est moi qui le ferai, monsieur Carter, menaça Aryami en se dirigeant vers la porte. Et priez pour que cet homme ne le trouve pas avant le lever du jour.

— Je parlerai à Ben demain. Je ne peux pas faire plus.

Aryami lui adressa un dernier regard depuis le seuil du bureau.

— Demain, monsieur Carter, c'est aujourd'hui.

— Une société secrète ? demanda Sheere, le regard brillant de curiosité. Je croyais que les sociétés secrètes n'existaient que dans les feuilletons.

— Siraj que voici, notre spécialiste de la question, pourrait te contredire pendant des heures, objecta Ian.

Siraj opina gravement du chef pour corroborer cette allusion à son érudition illimitée.

— Tu as entendu parler des francs-maçons ?

— Je t'en prie, intervint Ben. Sheere va croire que nous sommes un ramassis de sorciers en cagoule.

— Et vous ne l'êtes pas ? demanda la jeune fille en riant.

— Non, répliqua solennellement Seth. La Chowbar Society s'est donné deux buts entièrement positifs : nous aider mutuellement et aider les autres ; partager nos connaissances pour construire un avenir meilleur.

— Est-ce que ce n'est pas ce que prétendent tous les grands ennemis de l'humanité ?

— Seulement au cours des deux mille ou trois mille dernières années, trancha Ben. Mais changeons de sujet. La séance de cette nuit est très particulière.

— Cette nuit, nous allons prononcer notre dissolution, précisa Michael.

— Tiens ! Voilà que les morts parlent, s'inquiéta Roshan, surpris.

Sheere regarda avec étonnement ce groupe de jeunes gens en cachant l'amusement que lui causait le feu croisé de leurs réflexions.

— Ce que veut dire Michael, c'est que la réunion d'aujourd'hui sera la dernière de la Chowbar Society, expliqua Ben. Après sept ans, le rideau tombe.

— Ça alors ! s'exclama Sheere. Pour une fois que je rencontre une vraie société secrète, voilà qu'elle est sur le point de se dissoudre. Je n'aurai pas le temps d'en devenir membre.

— Personne n'a dit qu'on acceptait de nouveaux membres, s'empressa de lancer Isobel, qui avait assisté en silence à la conversation sans quitter l'intruse des yeux. D'ailleurs, s'il n'y avait pas eu des bavards pour trahir le serment de la Chowbar, personne ne saurait qu'elle existe. Il y en a qui, dès qu'ils voient un jupon, sont prêts à tout vendre pour une roupie.

Sheere offrit à Isobel son sourire le plus conciliant en réponse à la légère hostilité que cette dernière manifestait à son égard. La perte de son exclusivité n'était pas facile à accepter.

— Voltaire disait que les pires misogynes sont toujours les femmes, risqua Ben.

— Et qui est ce Voltaire ? s'indigna Isobel. Une imbécillité pareille ne peut venir que de toi.

— Voilà l'ignorance qui parle, répliqua Ben. Bien que Voltaire n'ait peut-être pas dit exactement ça…

— Arrêtez la guerre, intervint Roshan. Isobel a raison. Nous n'aurions pas dû bavarder.

Sheere s'inquiéta de la manière dont le climat avait changé en quelques secondes.

— Je ne voudrais pas être un motif de dispute. Il vaut mieux que je retourne attendre ma grand-mère. Oubliez tout ce que vous vous êtes dit, annonça-t-elle en rendant le verre de citronnade à Ben.

— Pas si vite, princesse ! s'écria Isobel dans son dos.

Sheere se retourna et lui fit face.

— Maintenant que tu es au courant, il vaut mieux que tu saches tout et que tu gardes le secret, expliqua Isobel en souriant, un peu honteuse. Je regrette ce que j'ai dit tout à l'heure.

— Bonne idée, approuva Ben. Allons-y.

Sheere écarquilla les yeux, stupéfaite.

— Mais il faudra payer le prix de l'admission, rappela Siraj.

— Je n'ai pas d'argent…

— Nous ne sommes pas une église, ma chère, nous n'en voulons pas à ton argent, répliqua Seth. Le prix est différent.

Sheere parcourut du regard les faces énigmatiques des jeunes gens, en quête d'un éclaircissement. Le visage amical de Ian lui sourit.

— Ne t'inquiète pas, ce n'est rien de méchant. La Chowbar Society se réunit dans son local secret passé minuit. Nous payons tous le prix quand nous entrons.

— C'est quoi, votre local secret ?

— Un palais, répondit Isobel. Le Palais de Minuit.

— Je n'en ai jamais entendu parler.

— Personne n'en a jamais entendu parler, sauf nous, précisa Siraj.

— Et quel est le prix ?

— Une histoire, répondit Ben. Une histoire personnelle et secrète que tu n'as encore jamais racontée à personne. Tu la partageras avec nous, et ton secret ne sortira jamais de la Chowbar Society.

— Tu as une histoire comme ça ? la défia Isobel en se mordant la lèvre inférieure.

Sheere observa de nouveau les six garçons et la fille qui la scrutaient avec insistance. Elle acquiesça.

— J'ai une histoire comme vous n'en avez jamais entendu raconter.

— Dans ce cas, dit Ben en se frottant les mains, passons aux choses sérieuses.

Pendant qu'Aryami Bosé expliquait la raison qui l'avait conduite à revenir avec sa petite-fille à Calcutta après de longues années d'exil, les sept membres de la Chowbar Society escortaient Sheere à travers les arbustes qui entouraient le Palais de Minuit. Aux yeux de la nouvelle venue, ledit Palais n'était qu'une vieille bâtisse abandonnée : les trous dans le toit permettaient d'apercevoir le ciel semé d'étoiles et les ombres sinueuses laissaient deviner des gargouilles, des colonnes et des reliefs, vestiges de ce qui, un jour, avait dû se dresser comme une résidence princière en pierre de taille échappée des pages d'un conte de fées.

Ils traversèrent le jardin en suivant un étroit tunnel pratiqué dans les broussailles qui conduisait directement à la porte principale. Une légère brise agitait les feuilles des arbustes et sifflait entre les arcades de pierre du Palais. Ben se retourna vers Sheere en exhibant un sourire qui lui fendait le visage d'une oreille à l'autre.

— Comment le trouves-tu ? demanda-t-il, visiblement fier.

— Particulier, proposa Sheere, peu désireuse de refroidir l'enthousiasme du garçon.

— Sublime, corrigea Ben en poursuivant son chemin sans se donner la peine de lui opposer de nouvelles appréciations sur les charmes du quartier général de la Chowbar Society.

Sheere sourit intérieurement et se laissa guider, en songeant combien elle aurait aimé connaître ces jeunes gens, en ce lieu, par une nuit pareille, au cours des années où il leur avait servi de refuge et de sanctuaire. Entre ruines et souvenirs, il se dégageait du palais une aura de magie et d'illusion que l'on ne trouve que dans la mémoire confuse des premières années d'une vie. Peu importait que ce ne soit que pour une nuit ; elle voulait payer le prix de son admission dans la Chowbar Society, même si celle-ci vivait ses derniers instants.

« Mon histoire secrète est en réalité l'histoire de mon père. L'une et l'autre sont inséparables. Je ne l'ai jamais connu et je ne garde aucun autre souvenir de lui excepté ceux que je tiens des lèvres de ma grand-mère et aussi de ses livres et de ses cahiers. Pourtant, aussi étrange que cela puisse vous paraître, je ne me suis jamais sentie aussi proche de quelqu'un comme de mon père et, bien qu'il soit mort avant ma naissance, je suis sûre qu'il saura m'attendre jusqu'au jour où je le rejoindrai et où je constaterai qu'il a toujours été tel que je l'ai imaginé : le meilleur homme qu'il y ait jamais eu sur cette terre.

» Je ne suis pas si différente de vous. Je n'ai pas été élevée dans un orphelinat, mais je n'ai jamais su ce que c'était que d'avoir un foyer ou quelqu'un avec qui parler pendant plus d'un mois qui ne soit pas ma grand-mère. Nous vivions dans les trains, dans des maisons d'inconnus, dans la rue, sans but, sans un lieu à nous où revenir. Durant toutes ces années, mon seul ami a été mon père. Comme je vous l'ai dit, il n'était pas là, mais tout ce je sais, je l'ai appris dans ses livres et par les souvenirs que ma grand-mère conservait de lui.

» Ma mère est morte en me donnant le jour. J'ai appris à vivre avec le chagrin de ne pouvoir me souvenir d'elle ni conserver d'autres images de sa personnalité que celles qu'en donnait mon père dans ses livres. De tous, des traités d'ingénierie et des gros volumes que je n'ai jamais réussi à comprendre, mon préféré a toujours été un petit livre de nouvelles dont le titre est *Les Larmes de Shiva*. Mon père l'a écrit quand il n'avait pas encore fêté ses trente-cinq ans. Il projetait alors la création de la première ligne de chemin de fer de Calcutta, ainsi que la construction d'une gare révolutionnaire en acier qu'il rêvait de réaliser dans la ville. Un petit éditeur de Bombay en avait imprimé six cents exemplaires, pour lesquels mon père n'a jamais perçu une roupie. C'est un petit volume noir avec des lettres gravées en or qui annoncent : *Les Larmes de Shiva, par L. Chandra Chatterghee.*

» Le livre est divisé en trois parties. La première

évoque son projet d'une nouvelle nation édifiée dans un esprit de progrès fondé sur la technique, le chemin de fer et l'électricité. Il l'appelait *Mon pays*. La deuxième parle d'une maison, un foyer merveilleux qu'il envisageait de construire pour lui et sa famille, quand il serait assez riche. Il décrit chaque recoin de cette maison, chaque pièce, chaque couleur et chaque objet, tout cela avec un luxe de détails qu'aucun plan, aucun architecte ne pourraient égaler. Il a appelé cette partie *Ma maison*. La troisième, intitulée *Mon esprit*, est une recompilation de petits récits et de contes écrits depuis son adolescence. Mon favori est celui qui donne son titre au livre. Il est très bref, et je vais vous le dire.

Une fois, il y a très longtemps, Calcutta fut frappée par un mal terrible qui s'attaquait à la vie des enfants et faisait que, peu à peu, les habitants vieillissaient et leurs espoirs dans l'avenir s'évanouissaient. Pour y mettre fin, Shiva entreprit un long voyage en quête d'un remède qui guérirait cette maladie. Au cours de son exode, il eut à affronter d'innombrables dangers. Les difficultés rencontrées sur son chemin étaient telles que le voyage le tint éloigné de nombreuses années et, quand il revint à Calcutta, ce fut pour découvrir que tout avait changé. En son absence, un sorcier venu de l'autre côté du monde avait apporté un étrange remède qu'il avait vendu aux habitants à un prix très élevé : l'âme des enfants qui naîtraient sains à dater de ce jour.

Voilà ce que virent les yeux de Shiva. Là où, auparavant, il y avait une jungle et des masures en torchis, s'élevait désormais une grande ville, si grande que personne ne pouvait l'embrasser d'un seul regard et que, du nord au sud, elle se perdait au-delà de l'horizon. Une ville de palais. Shiva, fasciné par le spectacle, décida de s'incarner en homme et de parcourir les rues habillé en mendiant pour connaître les nouveaux habitants de ce lieu, les enfants auxquels le remède du sorcier avait permis de naître et dont les âmes lui appartenaient. Une grande déception l'attendait.

Pendant sept jours et sept nuits, le mendiant marcha dans les rues de Calcutta et frappa à la porte des palais ; toutes restèrent closes. Personne ne voulut l'écouter. Il fut la cible des moqueries et du mépris de tous. Désespéré, errant dans les rues de cette ville immense, il découvrit la pauvreté, la misère et la noirceur qui se cachait au fond du cœur des hommes. Sa tristesse fut telle que, la dernière nuit, il décida de quitter la ville pour toujours.

Pendant qu'il s'en allait, il se mit à pleurer et, sans s'en rendre compte, il laissa derrière lui une traînée de larmes qui se perdait dans la jungle. Au matin, les larmes de Shiva s'étaient transformées en glace. Quand les hommes se rendirent compte de ce qu'ils avaient fait, ils voulurent réparer leur erreur en rassemblant les larmes de glace dans un sanctuaire. Mais, l'une après l'autre, les larmes fondirent dans leurs mains et la ville ne connut plus jamais la glace.

La malédiction d'une terrible chaleur s'abattit sur la ville. Les dieux lui tournèrent le dos pour toujours, la laissant sous l'empire des esprits des ténèbres. Les quelques hommes sages et justes qui restaient priaient pour qu'un jour les larmes de glace de Shiva tombent de nouveau du ciel et brisent cette malédiction qui avait transformé Calcutta en ville maudite...

» De toutes les histoires de mon père, celle-là a toujours été ma préférée. Elle est peut-être un peu simple, mais elle personnifie l'essence de ce que mon père a signifié et continue tous les jours de signifier pour moi. Comme les hommes de la ville maudite, moi aussi j'attends le jour où les larmes de Shiva tomberont sur ma vie et me libéreront à jamais de la solitude. Entre-temps, je rêve de cette maison que mon père a d'abord construite dans son esprit puis réellement, des années plus tard, quelque part dans le nord de cette ville. Je sais qu'elle existe, même si ma grand-mère l'a toujours nié. Je suis certaine que mon père a décrit dans le livre l'emplacement où il voulait l'édifier, ici, dans la *ville noire*. Toutes ces années, j'ai vécu avec l'idée de la parcourir et de reconnaître tour ce qui figure déjà dans ma mémoire : sa bibliothèque, ses chambres, son fauteuil de travail…

» Voilà mon histoire. Je ne l'ai jamais racontée, parce que je n'avais personne à qui le faire. Jusqu'aujourd'hui. »

Quand Sheere eut terminé son récit, la pénombre qui régnait dans le palais aida à dissimuler les larmes qui affleuraient dans les yeux de certains membres de la Chowbar Society. Aucun d'eux ne paraissait prêt à rompre le silence dont son histoire avait imprégné l'atmosphère. Sheere eut un rire nerveux et regarda directement Ben.

— Est-ce que je mérite d'entrer dans la Chowbar Society ? questionna-t-elle timidement.

— En ce qui me concerne, répondit Ben, tu mérites d'en être membre d'honneur.

— Cette maison existe-t-elle, Sheere ? s'enquit Siraj, fasciné par cette idée.

— Je suis sûre que oui. Et je pense que je la trouverai. La clef est quelque part dans le livre de mon père.

— Quand ? demanda Seth. Quand commençons-nous à la chercher ?

— Demain, suggéra Sheere. Avec votre aide, si vous voulez bien…

— Tu auras besoin du secours de quelqu'un qui sait réfléchir, affirma Isobel. Compte sur moi.

— Je suis un serrurier expérimenté, dit Roshan.

— Je peux trouver des plans des archives municipales depuis l'établissement du gouvernement de 1859, ajouta Seth.

— Je peux chercher s'il existe un mystère à son sujet, proposa Siraj. Elle est peut-être hantée.

— Je peux la dessiner telle qu'elle est dans la réalité, dit Michael. Des plans. En me servant du livre.

Sheere rit et regarda Ben et Ian.

— Bien, déclara Ben. Il faut quelqu'un pour diriger les opérations. J'accepte la charge. Et Ian pourra mettre de la teinture d'iode sur ceux qui attraperont des échardes.

— Je suppose que vous n'accepterez pas que je refuse, constata Sheere.

— Nous avons effacé le mot *non* du dictionnaire de la bibliothèque de St. Patrick's il y a six mois, trancha

Ben. Désormais, tu es membre de la Chowbar Society. Tes problèmes sont nos problèmes. Mandat collectif.

— Je croyais que nous nous étions dissous, rappela Siraj.

— Je décrète une prorogation pour cause de circonstances d'une gravité exceptionnelle, répondit Ben en foudroyant son camarade du regard.

Siraj se réfugia dans l'ombre.

— Bon, c'est d'accord, accepta Sheere. Mais maintenant, il faut rentrer.

L'expression d'Aryami, quand elle accueillit Sheere et les membres de la Chowbar Society, aurait été capable de congeler le Hooghly sur tout son cours en plein midi. La vieille dame attendait près de la porte en compagnie de Bankim, et il suffit à Ben de voir le visage de ce dernier pour estimer prudent d'inventer illico un discours d'excuses afin d'amortir la réprimande qui, à coup sûr, attendait sa nouvelle amie. Il devança légèrement les autres et arbora son plus beau sourire.

— C'est ma faute, madame. Nous voulions juste montrer à votre petite-fille la cour de derrière.

Aryami ne daigna même pas le voir. Elle s'adressa directement à Sheere.

— Je t'avais priée de m'attendre ici et de ne pas bouger ! s'écria-t-elle, le visage rouge de colère.

— Nous ne sommes pas allés à plus de vingt mètres, fit valoir Ian.

Aryami le pulvérisa du regard.

— Toi, jeune homme, je ne t'ai rien demandé.

— Nous sommes désolés de vous avoir causé un désagrément, madame, ce n'était pas notre intention…, insista Ben.

— Laisse, Ben, l'interrompit Sheere. Je suis capable de me défendre seule.

Les traits hostiles de la vieille dame se décomposèrent en un instant. Le fait ne passa inaperçu d'aucun des jeunes gens. Aryami désigna Ben et son visage blêmit dans la lumière ténue des ampoules du jardin.

— Tu es Ben ? demanda-t-elle à voix basse.

Le garçon confirma, en cachant son étonnement et en soutenant le regard de la vieille dame. Il n'y avait pas de colère dans celui-ci, seulement une infinie tristesse et de l'inquiétude. Aryami prit le bras de sa petite-fille et baissa les yeux.

— Nous devons partir. Dis au revoir à tes amis.

Les membres de la Chowbar Society répondirent au geste d'adieu et Sheere sourit timidement tandis qu'elle s'éloignait au bras d'Aryami Bosé pour se perdre de nouveau dans les rues obscures de la ville. Ian se rapprocha de Ben et observa son ami qui fixait, songeur, les silhouettes devenues presque invisibles de Sheere et d'Aryami en train de s'éloigner dans la nuit.

— Un instant, j'ai cru que cette femme avait peur, dit-il.

Ben acquiesça sans sourciller.

— Qui n'a pas peur, par une nuit comme celle-là ?

— Je crois que le mieux est que nous allions tous nous coucher, indiqua Bankim, sur le seuil de la porte.

— C'est une suggestion ou un ordre ? demanda Isobel.

— Vous savez bien que pour vous mes suggestions sont des ordres, affirma Bankim en désignant l'intérieur du bâtiment. Rentrez.

— Tyran, murmura Siraj à voix basse. Profite des jours qui te restent.

— Ceux qui rempilent sont toujours les pires, ajouta Roshan.

Sans tenir compte des murmures de protestation, Bankim assista, narquois, au défilé des sept jeunes gens vers l'intérieur de la maison. Ben fut le dernier à passer le seuil, et il échangea un regard complice avec Bankim.

— Ils ont beau se plaindre, dans cinq jours ils regretteront que vous ne fassiez plus la police.

— Toi aussi, tu le regretteras, dit Bankim en riant.

— Je le fais déjà, murmura Ben pour lui-même en montant l'escalier qui conduisait aux dortoirs du premier étage, conscient que, dans moins d'une semaine, il n'aurait plus jamais à compter les vingt-quatre marches qu'il connaissait si bien.

Au cours de la nuit, Ben se réveilla dans la faible pénombre bleutée qui flottait sur le dortoir. Il crut sentir une bouffée d'air humide sur son visage, comme le souffle invisible de quelqu'un caché dans l'obscurité. Un rayon de lumière évanescente vacillait lentement depuis l'étroite fenêtre anguleuse et projetait mille ombres dansantes sur les murs et le plafond de

94

la salle. Il tendit la main vers la modeste table de nuit qui flanquait son lit et approcha le cadran de sa montre de la clarté de la lune. Les aiguilles indiquaient trois heures du matin.

Il soupira en imaginant que c'étaient les derniers vestiges d'un rêve qui disparaissaient de son esprit comme des gouttes de rosée au soleil du matin, et songea que son ami Ian avait dû lui prêter pour une nuit le fantôme de ses insomnies. Il referma les paupières et appela à son secours les images de la fête qui s'était terminée peu de temps auparavant, confiant dans leur pouvoir apaisant pour l'aider à se rendormir. Juste à ce moment, il entendit pour la première fois le bruit et se redressa pour écouter l'étrange vibration qui semblait faire frissonner les feuilles du jardin.

Il écarta les draps et marcha lentement jusqu'à la fenêtre. De là, il percevait le léger tintement des ampoules éteintes dans les branches des arbres et l'écho lointain de ce qui lui parut être des voix de centaines d'enfants qui riaient et parlaient tous en même temps. Il appuya son front contre la vitre et devina au milieu de la cour, à travers le spectre de sa propre buée, une silhouette mince et immobile, enveloppée dans une tunique noire, qui regardait droit dans sa direction. Il sursauta et fit un pas en arrière. Sous ses yeux, la vitre se fendilla lentement : une fissure née au centre de la feuille de verre transparent s'étendit comme du lierre ou une toile d'araignée dessinée par des centaines de griffes invisibles. Ben sentit ses cheveux se dresser sur sa tête et sa respiration s'accélérer.

Il regarda autour de lui. Tous ses camarades, plongés dans un profond sommeil, gisaient sans le moindre mouvement. Les voix distantes des enfants résonnèrent de nouveau. Ben vit qu'une brume gélatineuse s'infiltrait dans les fissures de la vitre, comme une bouffée de fumée bleue qui traverserait de la soie. Il se rapprocha de la fenêtre et tenta de distinguer la cour. La forme demeurait là. Cette fois, elle tendit un bras et le désigna, tandis que ses doigts longs et effilés se transformaient en autant de flammes. Il resta fasciné pendant plusieurs secondes, incapable de s'arracher à cette vision. Lorsque la forme lui tourna le dos et commença de s'éloigner dans l'obscurité, Ben réagit enfin et se précipita hors du dortoir.

Le couloir, désert, était à peine éclairé par un bec de gaz de l'ancienne installation de St. Patrick's qui avait survécu aux travaux de rénovation des années précédentes. Ben dévala l'escalier, traversa les salles de réfectoire et sortit dans la cour par la porte latérale des cuisines de l'orphelinat, juste à temps pour voir la silhouette se perdre dans la ruelle obscure qui bordait la partie arrière du bâtiment, noyée dans une épaisse brume qui montait des grilles de l'égout. Il s'élança vers la brume et plongea dedans.

Ben courut sur une centaine de mètres le long de ce tunnel de vapeur froide et flottante. Il atteignit une vaste étendue déserte qui s'étendait au nord de St. Patrick's, un terrain vague semé de cabanes et de décombres qui avaient servi de foyer aux habitants les plus déshérités du nord de Calcutta. Il contourna les flaques boueuses d'un chemin tracé au milieu d'un labyrinthe de masures en torchis incendiées et inhabitées, et s'enfonça dans ces lieux contre lesquels Thomas Carter les avait toujours mis en garde. Les voix des enfants provenaient d'un endroit caché parmi les ruines de ce bourbier de misère et d'ordures.

Il enfila un étroit couloir qui s'ouvrait entre deux baraques en ruine et s'arrêta net en constatant qu'il avait trouvé ce qu'il cherchait. Devant ses yeux s'étendait une plaine infinie de vieilles masures détruites au milieu de laquelle la brume jaillissait comme l'haleine d'un dragon invisible dans la nuit. Le bruit des enfants semblait sortir lui aussi du même point, mais Ben n'entendait plus de rires ni de chansons : résonnaient à présent les terribles hurlements de panique et d'horreur de centaines d'enfants pris au piège. Il sentit un vent froid le plaquer contre les murs de l'ancien bidonville. De la brume frémissante surgit le grondement furieux d'une grande machine d'acier qui faisait trembler le sol sous ses pieds.

Ben ferma les yeux puis regarda de nouveau, croyant être victime d'une hallucination. Des ténèbres émergeait un train de métal en fusion enveloppé de flammes. Il discerna les expressions d'agonie sur les visages de dizaines d'enfants prisonniers à l'intérieur. Une pluie de fragments de feu partait dans toutes les directions, formant des cascades de braises. Ses yeux suivirent le train sur toute sa longueur jusqu'à la machine, une majestueuse sculpture d'acier qui paraissait fondre lentement, telle une figure de cire jetée dans un brasier. Dans la cabine, immobile au milieu des flammes, la silhouette qu'il avait aperçue dans la cour le contemplait, les bras ouverts en signe de bienvenue.

Il sentit la chaleur des flammes sur son visage et porta les mains à ses oreilles pour ne plus entendre les hurlements des enfants qui le rendaient fou. Le train en feu traversa l'étendue désolée, et Ben comprit avec horreur qu'il se dirigeait à pleine vitesse sur le bâtiment de St. Patrick's, avec la fureur d'un projectile incendiaire. Il courut derrière, en évitant la pluie d'étincelles et de gouttes de métal en fusion qui tombaient autour de lui, mais ses pieds étaient incapables d'égaler la vitesse croissante du train qui se précipitait sur l'orphelinat, en teignant de rouge le ciel sur son passage. Il s'arrêta, hors d'haleine, et cria de toutes ses forces pour alerter ceux qui dormaient paisiblement dans la demeure, étrangers à la tragédie qui s'abattait sur eux. Désespéré, il vit le train réduire la distance qui le séparait de St. Patrick's et comprit que, dans quelques secondes, la machine pulvériserait le bâtiment et ferait voler ses habitants dans les airs. Il tomba à genoux et cria une dernière fois, impuissant, quand le train pénétra dans l'arrière-cour et se dirigea inexorablement vers le grand mur de la façade postérieure de la demeure.

Ben se prépara au pire, mais il ne pouvait imaginer ce à quoi il allait assister en à peine quelques dixièmes de seconde.

La machine en folie, enveloppée d'un tourbillon de flammes, s'écrasa contre le mur dont sortirent, comme des spectres, des milliers de feux follets. Tout le train passa à travers le mur de briques rouges comme un serpent de vapeur, se désintégra dans l'air et emporta avec lui l'effroyable hurlement des enfants dans le rugissement assourdissant de la machine.

Deux secondes plus tard, l'obscurité nocturne redevint absolue. La silhouette inchangée de l'orphelinat se découpa sur les lumières lointaines de la *ville blanche* et sur le Maidan, à des centaines de mètres au sud. La brume s'infiltra dans les fissures du mur et, très vite, il ne resta plus aucune trace visible de la scène qui venait de se dérouler. Ben s'approcha lentement du mur et posa la paume de sa main sur la surface intacte. Une secousse électrique lui parcourut le bras et l'expédia à terre. L'empreinte noire et fumante de sa paume était restée imprimée sur la pierre.

Quand il se releva, son cœur battait à un rythme accéléré et ses mains tremblaient. Il respira profondément et sécha les larmes que le feu lui avait arrachées. Lentement, quand il considéra qu'il avait recouvré son calme, tout au moins en partie, il fit le tour du bâtiment et se dirigea de nouveau vers la porte des cuisines. Utilisant le truc que Roshan lui avait enseigné pour faire jouer le pêne de l'extérieur, il l'ouvrit précautionneusement et traversa les cuisines et le couloir du rez-de-chaussée dans le noir jusqu'à l'escalier. L'orphelinat était toujours plongé dans le plus profond silence. Ben compris que personne d'autre que lui n'avait entendu le fracas du train.

Il revint au dortoir. Ses camarades continuaient de dormir et l'on ne voyait aucune trace de brisures sur la vitre de la fenêtre. Il se jeta sur son lit, haletant. Il reprit sa montre sur la tablette et regarda l'heure. Il aurait juré être resté dehors près de vingt minutes. La montre indiquait la même heure que lorsqu'il l'avait consultée en se réveillant. Il la reposa et tenta de mettre de l'ordre dans ses idées. Il commençait à douter de ce qu'il avait vu, ou cru voir. Peut-être qu'il n'avait pas bougé du dortoir et qu'il avait rêvé tout l'épisode. Les profondes respirations autour de lui et la vitre intacte semblaient confirmer cette supposition. Ou peut-être avait-il été victime de son imagination. En pleine confusion, il ferma les yeux et tenta inutilement de trouver le sommeil, dans l'espoir que, s'il feignait de dormir, son corps finirait par tomber dans le piège.

À l'aube, alors que le soleil commençait à s'insinuer au-dessus de la *ville grise*, le secteur musulman à l'est de Calcutta, il sauta du lit et courut dans la cour de derrière pour examiner le mur de la façade à la lumière du jour. Pas de traces du train. Il était sur le point de conclure que tout cela n'avait été qu'un rêve, d'une intensité peu commune, certes, mais tout de même un rêve, quand, du coin de l'œil, il aperçut une tache sombre qui attira son attention. Il reconnut la paume de sa main clairement imprimée sur les briques. Il soupira et se dépêcha de remonter au dortoir pour réveiller Ian qui, libéré de son éternelle insomnie pour la première fois depuis des semaines, avait réussi à s'abandonner dans les bras de Morphée.

À la lumière du jour, le caractère enchanté du Palais de Minuit pâlissait, et son allure de vieille bâtisse nostalgique de temps meilleurs s'affirmait de façon impitoyable. Néanmoins, les paroles de Ben avaient fait passer au second plan l'effet du contact avec la réalité que la vue de leur décor favori, privé du charme et des mystères des nuits de Calcutta, aurait pu produire sur les membres de la Chowbar Society. Tous l'avaient écouté dans un silence respectueux et avec des expressions qui allaient de l'ahurissement à l'incrédulité.

— Et il a disparu dans le mur, comme si c'était de l'air ? demanda Seth.

Ben confirma.

— C'est l'histoire la plus étrange que tu aies racontée depuis le mois dernier, affirma Isobel.

— Ce n'est pas une histoire. C'est ce que j'ai vu.

— Personne n'en doute, Ben, intervint Ian d'un ton conciliant. Mais nous dormions tous et nous n'avons rien entendu. Même moi.

— Et ça, c'est vraiment incroyable, fit remarquer Roshan. Bankim avait peut-être mis quelque chose dans la citronnade.

— Personne ne me prendra donc au sérieux ? demanda Ben. Vous avez bien vu l'empreinte de ma main.

Aucun ne répondit. Ben concentra son attention sur le membre rachitique et asthmatique de la Society, victime propitiatoire pour tout ce qui concernait les histoires d'apparitions.

— Siraj ?

Le garçon leva les yeux et regarda les autres, en tâchant de soupeser la situation.

— Ça ne serait pas la première fois que quelqu'un

101

voit une chose de ce genre à Calcutta, déclara-t-il. Il y a, par exemple, l'histoire d'Hastings House.

— Je ne vois pas le rapport, objecta Isobel.

Le cas d'Hastings House, l'ancienne résidence du gouverneur de la province au sud de Calcutta, était l'un des préférés de Siraj et probablement la plus représentative des histoires de fantômes parmi toutes celles qui peuplaient les annales de la ville : une histoire dense et impressionnante, comme il n'en existait guère de comparables. Selon la tradition locale, durant les nuits de pleine lune, le spectre de Warren Hastings, le premier gouverneur du Bengale, chevauchait sur un attelage fantôme jusqu'au porche de son ancienne demeure d'Alipore, où il cherchait frénétiquement des documents disparus aux jours agités de son mandat dans la ville.

— Les gens de la ville l'ont vu pendant des dizaines d'années ! protesta Siraj. C'est aussi vrai que la mousson qui inonde les rues.

Les membres de la Chowbar Society se lancèrent, autour de la vision de Ben, dans une discussion animée à laquelle seul le principal intéressé s'abstint de participer. Quelques minutes plus tard, alors que tout dialogue raisonnable avait échoué, les visages des participants à la controverse se tournèrent vers la silhouette vêtue de blanc qui les contemplait en silence depuis le seuil de la salle sans plafond qu'ils occupaient. L'un après l'autre, ils se turent.

— Je ne voulais pas vous interrompre, dit timidement Sheere.

— Ton interruption vient à pic, affirma Ben. Nous ne faisions que discuter. Pour changer.

— J'ai entendu la fin, avoua Sheere. Tu as vu quelque chose, cette nuit, Ben?

— Je ne sais plus, admit le garçon. Et toi? Tu as réussi à échapper à la surveillance de ta grand-mère? J'ai l'impression que, cette nuit, nous ne t'avons pas rendu service.

Sheere sourit et fit non de la tête.

— Ma grand-mère est bonne, mais il lui arrive de se laisser emporter par ses obsessions. Elle croit que les dangers nous guettent à chaque coin de rue. Elle ne sait pas que je suis là. Mais je ne resterai pas longtemps.

— Pourquoi? Nous avions pensé aller aujourd'hui sur les quais. Tu pourrais venir avec nous, dit Ben, à la surprise des autres qui entendaient pour la première fois parler d'un tel projet.

— Je ne peux pas vous accompagner, Ben. Je suis venue vous dire adieu.

— Quoi? s'exclamèrent plusieurs voix en chœur.

— Nous partons demain pour Bombay. Ma grand-mère prétend que la ville n'est pas un lieu sûr et que nous devons la quitter. Elle m'a interdit de vous revoir, mais je ne voulais pas m'en aller sans vous dire adieu. Vous êtes les seuls amis que j'aie jamais eus, même si ça n'a été que pour une seule nuit.

Ben la dévisagea, interdit.

— Vous allez à Bombay? explosa-t-il. Pour quoi faire? Ta grand-mère veut devenir une vedette de cinéma? C'est absurde!

— Je crains que ça ne le soit pas, confirma tristement Sheere. Il ne me reste que quelques heures à passer à Calcutta. J'espère que ça ne vous gêne pas si je reste avec vous.

— Nous en serions ravis, Sheere, dit Ian, s'exprimant au nom de tous.

— Un moment! tempêta Ben. Qu'est-ce que c'est que cette histoire d'adieux? Quelques heures à Calcutta? Impossible, mademoiselle. Tu pourrais vivre cent ans dans cette ville et ne pas en avoir compris la moitié. Tu ne peux pas filer comme ça. Encore moins maintenant que tu es membre de plein droit de la Chowbar Society.

— C'est à ma grand-mère qu'il faut dire ça, affirma Sheere avec résignation.

— C'est bien ce que j'ai l'intention de faire.

— Bonne idée, commenta Roshan. Tu crois que tu n'en as pas fait assez comme ça cette nuit?

— Je vois que vous ne me faites pas confiance, se plaignit Ben. Et les serments de la société? Il faut aider Sheere à trouver la maison de ses parents. Personne ne quittera cette ville avant que nous ayons découvert cette maison et élucidé ses mystères. Point final.

— Je suis partant! lança Siraj. Mais comment comptes-tu t'y prendre? Tu vas menacer la grand-mère de Sheere?

— Parfois, les paroles peuvent davantage que les épées. Savez-vous qui a dit ça?

— Voltaire? insinua Isobel.

Ben ignora l'ironie.

— D'où vient ce puissant aphorisme? demanda Ian.

— Pas de moi, évidemment. Il est de Mr Carter. C'est à lui que nous demanderons de parler à ta grand-mère.

Sheere baissa les yeux et hocha négativement la tête.

— Ça ne marchera pas, Ben. Tu ne connais pas Aryami Bosé. Personne n'est plus obstinée qu'elle. Elle a ça dans le sang.

Ben exhiba un sourire félin et ses yeux brillèrent sous le soleil de midi.

— Je le suis encore plus. Attends de me voir dans l'action et tu changeras d'avis.

— Ben, tu vas encore une fois nous mettre dans de mauvais draps, objecta Seth.

Ben haussa les sourcils d'un air supérieur et dévisagea les présents l'un après l'autre, pulvérisant toute velléité de rébellion qui pouvait se cacher dans un coin de leur esprit.

— Que celui qui a quelque chose à objecter parle maintenant ou qu'il se taise pour toujours, prononça-t-il solennellement.

Aucune voix ne s'éleva pour protester.

— Bien. Approuvé à l'unanimité. En route.

Carter introduisit sa clef personnelle dans la serrure de la porte de son bureau et la tourna deux fois. Le mécanisme grinça. Carter entra dans la pièce et ferma derrière lui. Il ne voulait voir personne, ne parler à personne pendant une heure au moins. Il déboutonna sa veste et se dirigea vers son fauteuil. Il aperçut alors la silhouette immobile assise dans le fauteuil qui faisait face au sien. La clef lui échappa des doigts, mais elle n'eut pas le temps d'atteindre le sol. Une main agile, gantée de noir, l'attrapa au vol. Le visage mince apparut derrière l'oreille du fauteuil et exhiba un sourire carnassier.

— Qui êtes-vous, et comment êtes-vous entré ? s'inquiéta Carter, sans pouvoir réprimer un tremblement dans sa voix.

L'intrus se leva. Carter sentit son sang refluer de sa figure en reconnaissant l'homme qui lui avait rendu visite dans ce même bureau seize ans plus tôt. Ses traits n'avaient pas pris une ride et ses yeux exprimaient toujours la rage brûlante. Le visiteur prit la clef, alla à la porte et ferma à double tour. Carter avala sa salive. Les avertissements que lui avait donnés Aryami Bosé la nuit précédente défilèrent à toute allure dans sa tête. Jawahal serra la clef entre ses doigts et le métal plia avec la facilité d'une épingle à cheveux.

— Vous ne semblez pas heureux de me revoir, monsieur Carter. Vous ne vous souvenez pas du rendez-vous que nous avons pris il y a seize ans ? Je suis venu honorer ma promesse.

— Sortez tout de suite, ou je me verrai dans l'obligation d'appeler la police.

— Ne vous occupez pas de la police pour le moment. Je la préviendrai moi-même en m'en allant. Asseyez-vous et accordez-moi le plaisir d'une conversation.

Carter s'assit dans son fauteuil et lutta pour ne pas

trahir ses émotions et garder un visage serein, autoritaire. Jawahal lui sourit amicalement.

— J'imagine que vous devinez pourquoi je suis ici.

— J'ignore ce que vous cherchez, mais vous ne le trouverez pas dans ces murs.

— Peut-être que si, peut-être que non, répliqua Jawahal avec désinvolture. Je cherche un enfant qui aujourd'hui n'en est plus un ; c'est désormais un homme. Vous savez de quel enfant il s'agit. Je serais désolé d'avoir à vous faire mal.

— Vous me menacez ?

Jawahal rit.

— Oui, répondit-il froidement. Et quand je le fais, c'est toujours sérieusement.

Carter, pour la première fois de sa vie, envisagea sérieusement la possibilité de crier pour demander de l'aide.

— Si ce que vous voulez, c'est crier avant l'heure, suggéra Jawahal, permettez-moi de vous donner un motif.

À peine eut-il prononcé ces mots qu'il tendit la main droite devant le visage de Carter et retira lentement le gant qui la couvrait.

Sheere et les autres membres de la Chowbar Society venaient tout juste de franchir le seuil de la cour de St. Patrick's quand les fenêtres du bureau de Thomas Carter, au premier étage, explosèrent dans un terrible fracas. Le jardin se couvrit d'éclats de verre, de bois et de brique. Les jeunes gens restèrent paralysés pendant une seconde, puis se mirent à courir vers le bâtiment, ignorant la fumée et les flammes qui sortaient de l'ouverture béante de la façade.

Au moment de l'explosion, Bankim se trouvait à l'autre bout du couloir, en train de relire des documents administratifs qu'il s'apprêtait à remettre à Carter pour signature. L'onde de choc le jeta par terre ; lorsqu'il leva les yeux, il vit la porte du bureau du recteur, arrachée de ses gonds, s'écraser contre le mur. Une seconde après, il se releva et courut vers la source de l'explosion. Six mètres le séparaient encore de l'entrée du bureau quand une silhouette noire enveloppée de flammes en sortit, déploya sa cape sombre et s'éloigna dans le couloir à une vitesse invraisemblable, telle une grande chauve-souris. La forme disparut, laissant derrière elle une traînée de cendres et émettant un son qui rappela à Bankim le sifflement furieux d'un cobra prêt à se jeter sur sa victime.

Il trouva Carter étendu à l'intérieur du bureau. Sa figure était couverte de brûlures et ses vêtements fumants semblaient sortir d'un incendie. Bankim se précipita vers lui et tenta de le relever. Les mains du recteur tremblaient et Bankim constata avec soulagement qu'il respirait toujours, bien qu'avec une certaine difficulté. Il cria pour appeler du secours et, très vite, les visages de plusieurs pensionnaires apparurent à la porte. Ben, Ian et Seth l'aidèrent à relever Carter, pendant que les autres écartaient les décombres et ménageaient dans le couloir un espace où installer le recteur de St. Patrick's.

— Qu'est-ce qui a bien pu se passer ? demanda Ben.

Bankim hocha la tête, incapable de répondre et visiblement encore sous l'effet de la commotion qu'il venait de subir. Unissant leurs efforts, ils réussirent à sortir le blessé dans le couloir pendant que Vendela, le visage blanc comme de la porcelaine et le regard égaré, courait aviser l'hôpital le plus proche.

Peu à peu, le reste du personnel de St. Patrick's arriva, sans parvenir à comprendre ce qui avait provoqué cette explosion et à qui appartenait le corps couvert de brûlures étendu par terre. Ian et Roshan s'interposèrent et indiquèrent à tous ceux qui approchaient de reculer pour ne pas gêner le passage.

L'attente des secours promis se fit interminable.

Après la confusion créée par l'explosion, et quand l'ambulance tant attendue de l'hôpital général de Calcutta arriva enfin, St. Patrick's resta plongé pendant une demi-heure dans une angoissante incertitude. Finalement, au moment où, faisant suite aux premiers instants de panique, le découragement commençait à gagner ceux qui étaient présents, un médecin de l'équipe de secouristes vint voir Bankim et les pensionnaires pour les rassurer, pendant que trois de ses collègues continuaient à s'occuper de la victime.

En le voyant paraître, tous l'entourèrent, pleins d'inquiétude.

— Il souffre de nombreuses brûlures et présente plusieurs fractures, mais il est hors de danger, déclara le médecin, un jeune rouquin au regard intense dont la compétence ne faisait pas de doute. Ce qui me préoccupe le plus, maintenant, ce sont ses yeux. Nous ne pouvons pas garantir qu'il recouvrera une vision complète, mais il est trop tôt pour le déterminer. Il va falloir l'hospitaliser et lui administrer de puissants sédatifs avant de le soigner. L'intervention doit se faire en toute sécurité. J'ai besoin de quelqu'un qui puisse signer les documents d'admission.

— Vendela peut le faire, assura Bankim.

— Bien. Il y a encore autre chose, poursuivit le médecin. Lequel d'entre vous est Ben ?

Tous le regardèrent, interdits. Ben leva les yeux sans comprendre.

— Je suis Ben. Que se passe-t-il ?

— Il veut te parler, expliqua le docteur d'un ton qui trahissait qu'il avait tenté de dissuader Carter et qu'il désapprouvait sa demande.

Ben acquiesça et se dépêcha d'entrer dans l'ambulance où les médecins avaient déjà installé le blessé.

— Juste une minute, mon garçon, le prévint le médecin. Pas une seconde de plus.

Ben se plaça près de la civière sur laquelle gisait Thomas Carter et essaya de lui offrir un sourire rassurant, mais, devant l'état du directeur de l'orphelinat, son estomac rétrécit et les mots lui restèrent dans la gorge. Derrière lui, un médecin lui fit signe de se reprendre. Ben réagit en respirant profondément et indiqua qu'il avait compris.

— Bonjour, monsieur Carter, c'est moi, Ben, dit-il en se demandant si le directeur pouvait l'entendre.

Le blessé tourna lentement la tête et leva une main tremblante. Ben la prit dans les siennes et la serra doucement.

— Dis à cet homme de nous laisser seuls, chuchota dans un gémissement Carter qui n'avait pas ouvert les yeux.

Le docteur lança un coup d'œil sévère à Ben et attendit quelques secondes avant de se retirer.

— Les médecins disent que vous vous en remettrez, affirma Ben.

Carter, à qui chaque parole semblait coûter un effort surhumain, remua la tête pour dire non et l'arrêta :

— Pas maintenant, Ben. Tu dois m'écouter attentivement et ne pas m'interrompre. Compris ?

Ben confirma en silence avant de réaliser que Carter ne pouvait pas le voir.

— Je vous écoute, monsieur.

Carter lui serra les mains.

— Un homme te cherche pour te tuer, Ben. Un assassin, articula-t-il avec difficulté. Tu dois me croire. Cet homme se fait appeler Jawahal et paraît convaincu que tu as quelque chose à voir avec son passé. J'ignore pour quelle raison, mais je sais qu'il est dangereux. Ce qu'il m'a fait n'est qu'une démonstration de ce dont il est capable. Tu dois parler avec Aryami Bosé, la femme qui est venue hier à l'orphelinat. Répète-lui ce que je t'ai confié, ce qui s'est passé. Elle a voulu m'avertir, mais je ne l'ai pas prise au sérieux. Ne commets pas la même erreur. Cherche-la et parle avec elle. Dis-lui que Jawahal est venu. Elle t'expliquera ce que tu dois faire.

Quand les lèvres brûlées de Thomas Carter se refermèrent, Ben eut l'impression que le monde entier s'écroulait autour de lui. Tout ce que le directeur de St. Patrick's venait de lui confier lui paraissait totalement invraisemblable. La commotion due à l'explosion avait dangereusement perturbé la raison du recteur, et son délire lui faisait imaginer une conspiration contre sa vie et Dieu sait quels autres improbables dangers. Toute autre hypothèse, à cet instant, lui semblait inacceptable, et plus encore s'il repensait au rêve dont il avait été victime la nuit précédente. En proie à la claustrophobie que lui communiquait l'atmosphère de l'ambulance imprégnée de la froide odeur de l'éther, Ben se demanda un moment si les habitants de St. Patrick's n'étaient pas tous en train de perdre la raison, lui le premier.

— Tu m'as entendu, Ben ? insista Carter d'une voix mourante. Tu as compris ce que je t'ai dit ?

— Oui, monsieur, balbutia le garçon. Vous ne devez plus vous inquiéter, maintenant.

Carter ouvrit les yeux et Ben remarqua avec horreur le sillon que les flammes y avaient creusé.

— Ben ! tenta de crier Carter d'une voix brisée par la douleur. Fais ce que je te dis ! Tout de suite ! Va voir cette femme. Jure-le-moi.

Ben entendit les pas du médecin roux derrière lui et sentit qu'il le prenait par le bras et le tirait énergiquement hors de l'ambulance. La main de Carter glissa des siennes et resta suspendue dans le vide.

— Ça suffit comme ça, déclara le médecin. Cet homme a assez souffert.

— Jure-le-moi ! gémit Carter en agitant sa main libérée.

Le garçon contempla, consterné, les médecins injecter une nouvelle dose d'un médicament au blessé.

— Je vous le jure, monsieur Carter, dit Ben sans bien savoir si le directeur l'entendait encore. Je vous le jure.

Bankim l'attendait au pied de l'ambulance. Derrière lui, tous les membres de la Chowbar Society et tous ceux qui étaient présents dans l'orphelinat au moment de la catastrophe l'observaient, l'air anxieux et le visage ravagé. Ben regarda Bankim droit dans ses yeux injectés de sang et rougis par la fumée et les larmes.

— Bankim, j'ai besoin de savoir une chose. Quelqu'un du nom de Jawahal est-il venu voir M. Carter ?

Le maître l'observa sans comprendre.

— Personne n'est venu aujourd'hui. M. Carter a passé la matinée avec le conseil municipal et il est revenu aux environs de midi. Il a expliqué qu'il allait travailler dans son bureau et ne voulait pas être dérangé, même pour le déjeuner.

— Vous êtes sûr qu'il était seul dans son bureau quand l'explosion s'est produite ? questionna Ben en priant pour que la réponse soit affirmative.

— Oui. Je crois que oui, répondit Bankim d'un ton assuré, une ombre d'hésitation affleurant cependant dans son regard. Pourquoi me demandes-tu ça ? Qu'est-ce qu'il t'a dit ?

— Vous êtes tout à fait sûr, Bankim ? Réfléchissez bien. C'est important.

Le professeur baissa les yeux et se massa le front, comme s'il n'arrivait pas à trouver les mots capables de décrire ce qui ne flottait que très vaguement dans sa mémoire.

— Dans un premier moment, une seconde après l'explosion, j'ai cru voir quelque chose ou quelqu'un sortir du bureau. Tout était très confus.

— Quelque chose ou quelqu'un ? Qu'est-ce que c'était ?

Bankim leva les yeux au ciel et haussa les épaules.

— Je ne sais pas. Je ne connais rien qui soit capable de se déplacer aussi vite.

— Un animal ?

— Je ne sais pas ce que j'ai vu, Ben. Le plus probable est que c'est sorti de mon imagination.

Le mépris que les superstitions et les histoires de prétendus prodiges surnaturels inspiraient à Bankim était connu de Ben. Le garçon savait qu'il n'admettrait jamais avoir assisté à une scène qui échapperait à sa capacité d'analyse ou de compréhension. Si son esprit ne pouvait l'expliquer, ses yeux ne pouvaient l'avoir vu. C'était aussi simple que ça.

— Et si c'est bien le cas, demanda Ben une dernière fois, qu'est-ce que votre imagination vous a montré ?

Bankim tourna la tête vers le trou noir qui, quelques heures plus tôt, avait été le bureau de Thomas Carter.

— Il m'a semblé qu'il riait, admit-il à voix basse. Mais je ne le répéterai à personne.

Ben acquiesça et laissa Bankim près de l'ambulance pour se diriger vers ses amis, qui attendaient anxieusement de connaître la nature de sa conversation avec

Carter. Sheere les observait avec une inquiétude visible, comme si, au plus profond de son esprit, elle devinait qu'elle était la seule capable de comprendre que les nouvelles apportées par Ben étaient sur le point de les mener sur un chemin obscur et mortel, où aucun d'eux ne pourrait revenir sur ses pas.

— Nous devons parler, dit Ben. Mais pas ici.

*J*e me souviens de cette journée de mai comme du premier signe de la tourmente qui allait s'abattre inexorablement sur nos destinées, s'amassant dans notre dos et grossissant à l'ombre de notre totale innocence, cette bienheureuse ignorance qui nous faisait croire que nous jouissions d'un état de grâce car, ne possédant pas de passé, nous n'avions rien à craindre de l'avenir.

Nous ne savions pas alors que les chacals du malheur ne couraient pas derrière ce pauvre Thomas Carter. Leurs crocs avaient soif d'un autre sang, plus jeune et marqué des stigmates d'une malédiction à laquelle il était impossible d'échapper, pas plus dans la foule qui se bousculait dans l'effervescence des marchés en plein air que dans les profondeurs d'un palais clos de Calcutta.

Nous avons suivi Ben au Palais de Minuit pour chercher un lieu secret où écouter ce qu'il avait à nous révéler. Ce jour-là, même après l'étrange accident et les paroles incompréhensibles sorties des lèvres brûlées de notre recteur, aucun de nous n'hébergeait dans son cœur la crainte que puisse planer sur nous d'autre menace que celle de la séparation et du vide vers lesquels les pages blanches de notre avenir paraissaient nous conduire. Nous devions encore apprendre que le Diable a créé la jeunesse pour que nous commettions des erreurs et que Dieu a instauré l'âge mûr et la vieillesse pour que nous puissions payer pour celles-ci.

Je me rappelle aussi que nous avons écouté le récit que Ben a fait de sa conversation avec Thomas Carter et que, tous sans exception, nous avons su qu'il nous cachait quelque chose de ce que le recteur blessé lui avait confié. Je me souviens de l'expression d'inquiétude que prenaient peu à peu les visages de mes amis et le mien en comprenant que, pour la première fois en tant d'années, notre camarade Ben avait choisi de nous tenir en marge de la vérité, quelles que soient ses raisons.

Quand, quelques minutes plus tard, Ben a demandé à parler seul à seul avec Sheere, j'ai pensé que mon meilleur ami venait de donner le coup de poignard final à la Chowbar Society. Les faits qui suivirent devaient démontrer qu'une fois de plus j'avais mal jugé Ben et sa fidélité aux serments de notre club.

Mais, à ce moment précis, il m'a suffi d'observer le visage de mon ami pendant qu'il parlait avec Sheere pour sentir que la roue de la fortune avait inversé son tour et qu'il y avait sur la table de jeu une main noire dont les mises nous engageaient dans une partie qui dépassait de loin nos possibilités.

La cité des palais

À la lumière brumeuse de cette journée de mai chaude et humide, les contours des reliefs et des gargouilles du refuge secret de la Chowbar Society ressemblaient à des figures de cire taillées au couteau par des mains hâtives. Le soleil s'était caché derrière une épaisse couche de nuages couleur cendre. Du Hooghly montait un brouillard de chaleur asphyxiant qui se coagulait dans les rues de la *ville noire*, pareil aux vapeurs mortelles d'un marécage empoisonné.

Dans la salle centrale de la vieille demeure, Ben et Sheere discutaient derrière deux colonnes écroulées, pendant que les autres attendaient à une douzaine de mètres en leur jetant par instants des regards furtifs et méfiants.

— Je ne sais pas si j'ai bien fait de ne rien dire à mes camarades, avoua Ben à Sheere. Je sais que ça leur déplaira et que ça va contre les principes de la Chowbar Society, mais s'il existe vraiment la moindre possibilité qu'un assassin coure les rues avec l'intention de me tuer, chose dont je doute, je n'ai pas envie de les impliquer dans cette histoire. Je ne veux pas non plus t'y embarquer, Sheere. Je suis incapable d'imaginer quels liens ta grand-mère peut avoir avec tout ça et, jusqu'à ce que je le découvre, le mieux sera de garder le secret entre toi et moi.

Sheere acquiesça. Elle était désolée de comprendre que ce secret partagé avec Ben s'interposait entre lui et ses camarades, mais, consciente de ce que la gravité de la situation pouvait dépasser encore celle qu'ils envisageaient en ce moment, elle était heureuse que cela la rapproche de Ben.

— Je dois, moi aussi, te dire quelque chose, Ben. Ce matin, quand je suis venue vous faire mes adieux, j'ai pensé que ça n'avait pas d'importance, mais maintenant les choses ont changé. Cette nuit, pendant que nous rentrions à la maison où nous logeons, ma grand-mère m'a fait jurer de ne plus jamais te parler. Elle m'a dit que je devais t'oublier et que toute tentative de ma part de te revoir pourrait conduire à une tragédie.

Ben soupira devant la rapidité avec laquelle grossissait ce torrent de menaces voilées concernant sa personne qui fleurissait sur toutes les lèvres. Tous, sauf lui, paraissaient détenir quelque secret indicible qui faisait de lui comme une carte marquée et porte-malheur. Ce qui au départ avait été de l'incrédulité et, plus tard, de l'inquiétude commençait à devenir de l'irritation ouverte et de la colère devant le mystère qui se tramait dans son dos.

— Quelle raison a-t-elle donnée ? Elle ne m'a jamais

vu avant cette nuit et je ne crois pas avoir rien fait pour justifier une telle méchanceté.

— Je ne crois pas que ce soit de la méchanceté. Elle avait peur. Il n'y avait pas de colère dans ses mots, seulement de la crainte.

— Eh bien, il nous faudra trouver autre chose que la peur si nous voulons éclaircir ce qui se passe, répliqua Ben. Allons la voir tout de suite.

Le garçon se dirigea vers l'endroit où se tenaient les autres membres de la Chowbar Society. Leurs visages montraient qu'ils avaient discuté entre eux et qu'ils avaient fini par prendre une résolution. Ben se demanda qui serait le porte-parole de l'inévitable protestation. Tous regardèrent Ian et celui-ci, en découvrant la conspiration, leva les yeux au ciel et soupira.

— Ian a quelque chose à te dire, précisa Isobel. Il s'exprimera en notre nom à tous.

Ben fit face à ses camarades et sourit.

— J'écoute.

— Eh bien, commença Ian, ce que nous voulons te dire essentiellement…

— Va au but, Ian ! le coupa Seth.

Ian se retourna, avec toute la fureur contenue que lui permettait son caractère flegmatique.

— Si c'est moi qui dois lui expliquer, je le ferai à ma guise. C'est clair ?

Nul n'osa objecter davantage, et il reprit son discours.

— Comme je le disais, l'essentiel est que nous croyons qu'il y a quelque chose qui ne colle pas. Tu nous as raconté que Mr Carter est persuadé qu'un criminel rôde dans l'orphelinat et l'a attaqué. Un criminel que personne n'a vu et dont, si nous nous en tenons à tes explications, nous ne comprenons pas les motifs. Pas plus que nous ne comprenons pourquoi c'est précisément à toi que Mr Carter a demandé à parler ni pourquoi tu ne nous as rien rapporté de ta discussion avec Bankim. Nous supposons que tu as tes raisons pour garder le secret et ne le partager qu'avec Sheere, ou plutôt que tu crois les avoir. Mais, par respect pour la vérité, si tu as encore un peu d'estime pour cette société et ses buts, tu devrais nous faire confiance et ne rien nous dissimuler.

Ben considéra les paroles de Ian et dévisagea un à un ses camarades, dont les visages manifestaient leur adhésion au discours de leur porte-parole.

— Si je vous ai caché quelque chose, c'est parce que j'ai pensé que, dans le cas contraire, je risquais de mettre vos vies en danger.

— Le principe sur lequel est fondée cette société est de nous aider les uns les autres jusqu'à la fin, et pas simplement d'écouter des histoires de fantômes et de disparaître dès que ça sent le roussi ! protesta Seth, courroucé.

— C'est une société, pas un orchestre de demoiselles, ajouta Siraj.

Isobel lui expédia un coup de poing sur la nuque.

— Toi, tu la fermes.

— D'accord, décida Ben. Un pour tous, tous pour un. C'est ce que vous voulez ? Les Trois Mousquetaires ?

Tous l'observèrent de haut en bas et, lentement, un à un, acquiescèrent.

— Très bien. Je vous dirai tout ce que je sais, ce qui n'est pas grand-chose.

Pendant les dix minutes qui suivirent, la Chowbar Society écouta le récit dans sa version intégrale, y compris la conversation avec Bankim et les craintes de la grand-mère de Sheere. L'exposé achevé, vint le tour des questions.

— Quelqu'un a-t-il déjà entendu parler de ce Jawahal ? s'enquit Seth. Siraj ?

La seule réponse de l'encyclopédie vivante de la société fut une négation absolue.

— Savons-nous si Mr Carter avait des relations avec un personnage de ce genre ? demanda Isobel. Nous pouvons peut-être trouver des indications dans ses dossiers.

— C'est à vérifier, acquiesça Ian. Mais, pour l'heure, ce qui passe avant tout, c'est de parler avec ta grand-mère, Sheere, et de voir clair dans cet embrouillamini.

— Je suis d'accord, approuva Roshan. Allons lui rendre visite. Nous déciderons ensuite d'un plan d'action.

— Y a-t-il une objection à la proposition de Roshan ? demanda Ian.

Un non général retentit entre les murs en ruine du Palais de Minuit.

— Dans ce cas, en route.

— Un moment, intervint Michael.

Les jeunes gens se tournèrent pour écouter l'éternel

et taciturne virtuose du crayon et chroniqueur graphique de l'histoire de la Chowbar Society.

— Ben, l'idée ne t'est pas venue que tout ça pouvait avoir une relation avec l'histoire que tu nous as racontée ce matin ?

Ben avala sa salive. Cela faisait une demi-heure qu'il se posait la même question, mais il était incapable de trouver quoi que ce soit qui permette de justifier un lien entre les deux événements.

— Je ne vois pas le rapport, Michael, dit Seth.

Les autres réfléchirent, mais tous semblaient enclins à partager le sentiment de Seth.

— Je ne crois pas que cette relation existe, confirma finalement Ben. Je suppose que j'ai rêvé.

Michael le regarda droit dans les yeux, ce qu'il ne faisait pratiquement jamais, et lui montra un petit dessin qu'il tenait à la main. Ben identifia la silhouette d'un train traversant un vaste terrain de masures et de baraques dévastées. Une locomotive majestueuse sous haute pression et couronnée de grosses cheminées crachant vapeur et fumée le traînait sous un ciel semé d'étoiles noires. Le train était entouré de flammes. À travers les fenêtres des wagons, on devinait des centaines de visages blafards qui tendaient les bras et hurlaient dans le feu. Michael avait transcrit ses paroles sur le papier avec une fidélité absolue. Ben sentit un frisson lui parcourir le dos et regarda à son tour son ami Michael.

— Je ne comprends pas, Michael, murmura-t-il. Où veux-tu en venir ?

Sheere s'approcha d'eux. Elle pâlit en contemplant

le dessin de Michael et en devinant le trait d'union qu'il établissait entre la vision de Ben et les événements de St. Patrick's.

— Le feu, murmura-t-elle. Le feu.

La demeure d'Aryami Bosé était restée close pendant des années et le fantôme de milliers de souvenirs prisonniers entre ses murs imprégnait encore l'atmosphère de ces lieux où n'habitaient que des livres et des tableaux.

En chemin, ils avaient décidé à l'unanimité que la meilleure solution était de laisser Sheere entrer la première, pour mettre Aryami au courant des événements et lui faire part de la volonté des jeunes gens de la rencontrer. Une fois réglée cette première phase, les membres de la Chowbar Society, considérant que la vision de sept adolescents inconnus gênerait la vieille dame pour parler librement, avaient estimé opportun de limiter le nombre de leurs représentants. C'est pourquoi, en plus de Sheere et de Ben, ils avaient choisi Ian pour assister à la conversation. Celui-ci avait accepté de nouveau le rôle d'ambassadeur de la société, non sans soupçonner que la fréquence à laquelle on lui demandait de l'assumer était moins due à la confiance de ses camarades dans son intelligence et sa modération qu'à son aspect inoffensif et donc parfaitement susceptible de susciter l'approbation des adultes et des fonctionnaires publics. Quoi qu'il en soit, après avoir attendu quelques minutes dans la cour qui avait tout d'une jungle en miniature, Ian et Ben entrèrent dans la maison sur un appel de Sheere.

La jeune fille les conduisit dans un salon pauvrement éclairé par une douzaine de veilleuses qui brûlaient à l'intérieur de vases à demi remplis d'eau. Les gouttes de cire qui coulaient formaient des fleurs pétrifiées et ternissaient l'éclat des flammes. Les trois jeunes gens s'assirent en face de la vieille dame qui les observait silencieusement de son fauteuil. Ils scrutèrent la pénombre qui voilait les murs couverts de tableaux et de rayons ensevelis sous la poussière des ans.

Aryami attendit que les yeux des trois jeunes gens convergent sur les siens et se pencha vers eux, dans une attitude confidentielle.

— Ma petite-fille m'a rapporté ce qui s'est passé. Je ne peux prétendre être surprise. J'ai vécu pendant des années avec la crainte que se produise un événement de ce genre, mais je n'avais jamais pensé que ce serait ainsi, de cette manière. Avant tout, sachez que ce que vous avez vu aujourd'hui est seulement un début et que, après m'avoir écoutée, il vous reviendra de laisser les choses suivre leur cours ou de vous y opposer. Je suis vieille, à présent, et je n'ai plus le cœur et la santé qui me permettraient de combattre des forces qui me dépassent et me sont chaque jour plus difficiles à comprendre.

Sheere prit la main parcheminée de sa grand-mère et la caressa doucement. Ian remarqua que Ben se rongeait les ongles et lui expédia un discret coup de coude.

— Il fut un temps où je croyais que rien n'était plus fort que l'amour. Il est vrai que cette force existe, mais elle est minuscule et bien faible face au feu de la haine. Je sais que ce genre de confidences n'est pas un cadeau convenable pour votre seizième anniversaire. Normalement, on permet aux adolescents de vivre encore un temps dans l'ignorance du véritable visage du monde, mais je crains que vous ne bénéficiiez pas de ce douteux privilège. Je sais aussi que, du seul fait que je sois vieille femme, vous douterez de mes paroles et de mes jugements. Au fil des années, j'ai appris à reconnaître ce regard dans les yeux de ma propre petite-fille. C'est que rien n'est plus difficile à croire que la vérité. Et, au contraire, rien n'est plus séduisant que la force du mensonge lorsque son poids l'emporte. C'est la loi de la vie, et vous devrez trouver le juste équilibre. Cela dit, permettez-moi de vous expliquer que, en plus des ans, la vieille dame qui est devant vous a collectionné bien des histoires, mais n'en a jamais connu de plus triste et de plus terrible que celle que je vais vous raconter et dont, sans le savoir, vous avez été les personnages par omission jusqu'aujourd'hui…

» Il fut un temps où moi aussi j'ai été jeune et où j'ai fait tout ce qu'on attend des jeunes gens : se marier, avoir des enfants, contracter des dettes, connaître des déceptions et renoncer aux rêves et aux principes qu'on s'était toujours juré de respecter. Vieillir, en un mot. Même ainsi, le sort a été généreux avec moi, du moins est-ce ce que j'ai cru au début, et il a uni ma vie à celle d'un homme dont le meilleur et le pire que l'on puisse dire est qu'il était bon. Il n'a jamais été beau garçon, pourquoi mentir. Je me rappelle que, quand il venait à la maison, mes sœurs riaient tout bas de lui. Il était un peu maladroit, timide, et semblait avoir passé les dix dernières années de son existence dans une bibliothèque : le rêve de toute jeune fille de ton âge, Sheere.

» Mon soupirant était instituteur dans une école publique du sud de Calcutta. Son salaire était misérable et sa mise ne démentait pas ce qu'il gagnait. Tous les samedis, il venait me chercher vêtu du même costume, le seul qu'il possédait et qu'il gardait pour aller aux réunions de l'école et me faire la cour. Il a mis six mois à économiser de quoi en acheter un autre, mais il n'a jamais réussi à être bien habillé : il y avait toujours quelque chose qui clochait.

» Mes deux sœurs se sont mariées à des hommes brillants et bien bâtis, qui traitaient ton grand-père de haut et qui, dans son dos, m'adressaient des regards torrides que j'étais supposée interpréter comme une invitation à profiter d'un vrai mâle, ne fût-ce que pour quelques minutes.

» Avec les années, ces oisifs allaient finir par dépendre de la charité et des faveurs de mon mari, mais cela est une autre histoire. Parce que, lui qui savait lire dans les pensées de ces sangsues et qui a toujours su discerner l'âme des personnes à qui il avait affaire, ne leur a pourtant jamais refusé son aide et a toujours feint d'avoir oublié les plaisanteries et le mépris avec lesquels ils l'avaient traité dans leur jeunesse. Je n'aurais pas fait de même, mais mon mari, je vous l'ai dit, a toujours été bon. Trop, peut-être.

» Sa santé, malheureusement, était fragile et il m'a quittée trop tôt, l'année de la naissance de ma fille unique, Kylian. J'ai dû l'élever seule et lui apprendre tout ce que son père aurait voulu lui enseigner. Kylian a été la lumière qui a éclairé ma vie après la mort de ton grand-père, Sheere. Elle avait hérité de lui sa bonté naturelle et son don instinctif de lire dans le cœur des autres. Mais, là où son père alliait maladresse et timidité, tout chez elle n'était que rayonnement et élégance. Sa beauté commençait dans ses expressions, dans sa voix, dans ses mouvements. Enfant, ses paroles, magiques comme un sortilège, charmaient les visiteurs et les gens dans la rue. Je me rappelle qu'en la voyant bavarder avec les commerçants des bazars, quand elle avait à peine dix ans, j'aimais imaginer cette petite fille comme le cygne sorti des eaux de la mémoire de mon mari, le vilain petit canard. Son esprit vivait en elle, dans ses gestes les plus insignifiants et dans la manière dont parfois, en silence, elle posait son regard sur les passants depuis le seuil de cette maison et se tournait vers moi pour me demander, très sérieuse, pourquoi il y avait tant de malheureux dans le monde.

» Bientôt, les habitants de la *ville noire* ont pris l'habitude de la désigner par le surnom dont un photographe de Bombay l'avait baptisée : la princesse de lumière. Et, pour une telle princesse, n'ont pas tardé à sortir de partout, jusque de sous les pavés, les candidats au titre de prince. Ce furent des temps merveilleux, où Kylian partageait avec moi les confidences ridicules que ses prétendants lui faisaient, les atroces poèmes qu'ils lui écrivaient et toute une collection d'anecdotes qui, si cela s'était prolongé, auraient fini par nous faire croire que tous les jeunes gens de cette ville n'étaient que de pauvres demeurés. Mais, comme toujours, est apparu sur la scène quelqu'un qui devait tout changer : ton père, l'homme le plus intelligent et le plus extraordinaire que j'aie rencontré.

» À cette époque, comme aujourd'hui, l'immense majorité des mariages découlait d'une entente entre familles, comme un simple accord commercial où la volonté des futurs époux n'avait aucune valeur. La plupart des traditions ne sont que les maladies d'une société. Je m'étais toujours juré que, le jour où Kylian se marierait, elle le ferait avec la personne qu'elle aurait librement choisie.

» Le jour où ton père a franchi cette porte, il incarnait tout le contraire des douzaines de faux-bourdons prétentieux qui entouraient constamment ta mère. Il parlait peu, mais quand il le faisait ses paroles étaient effilées comme la lame d'un couteau et nous invitaient à la réplique. Il était aimable et, quand il le voulait, doté d'un charme étonnant qui séduisait lentement mais inexorablement. Néanmoins, ton père restait froid et distant avec presque tout le monde. À l'exception de ta mère. En sa compagnie, il devenait quelqu'un d'autre, vulnérable et presque enfantin. Je n'ai jamais réussi à savoir lequel des deux personnages il était réellement, et je suppose que ta mère a emporté ce secret dans sa tombe.

» Ton père, dans les rares occasions où il daignait converser avec moi, donnait peu d'explications. Quand, enfin, il s'est décidé à me demander mon consentement pour épouser ta mère, je lui ai demandé comment il pensait l'entretenir et quelle était sa position. Mes années avec ton grand-père au seuil de la pauvreté m'avaient inculqué le désir de protéger ma fille d'une telle expérience et m'avait convaincue que rien ne valait un ventre vide pour réduire à zéro le mythe de la faim spirituelle.

» Ton père m'a dévisagée en conservant par devers lui ses vraies pensées, comme il le faisait toujours, et a répondu que sa profession était ingénieur et écrivain. Il a précisé qu'il était en train de faire des démarches pour obtenir une place dans une société britannique de construction et qu'un éditeur de Delhi lui avait réglé une avance pour un manuscrit qu'il lui avait remis. Pour moi, tout cela, dépouillé de la littérature dont ton père enrobait ses propos quand ça lui convenait, sentait la misère et les privations. Je le lui ai dit. Il a souri et, prenant doucement ma main dans les siennes, il a murmuré ces paroles que je n'oublierai jamais : "Mère, c'est la première et la dernière fois que je vous le dis. Mon avenir et celui de votre fille sont entre nos mains, comme l'est mon devoir de la rendre heureuse et de me tailler un chemin dans la vie. Personne, vivant ou mort, ne pourra s'y opposer. Dormez tranquille à cet égard et faites confiance à l'amour que j'éprouve pour votre fille. Mais si vos inquiétudes vous empêchent de trouver le sommeil, gardez-vous de gâcher, par un seul mot, geste ou action, le lien qui, avec ou sans votre consentement, nous unira elle et moi pour toujours, car il vous faudrait des années, sinon l'éternité, pour vous en repentir."

» Trois mois plus tard, ils se sont mariés, et je n'ai jamais plus eu de conversation seule à seul avec ton père. L'avenir lui a donné raison, car il s'est rapidement fait un nom comme ingénieur, sans abandonner sa passion pour la littérature. Ils se sont installés loin d'ici, dans une maison qui a été démolie il y a déjà longtemps, pendant qu'il dessinait ce qui devait être leur foyer de rêve, un véritable palais qu'il a conçu au millimètre près pour s'y retirer avec ta mère. Personne n'imaginait alors ce qui approchait.

» Je n'ai jamais réussi à connaître la vérité. Il ne m'en a jamais donné l'occasion et il n'a jamais semblé éprouver aucun intérêt à s'ouvrir à quelqu'un qui ne soit pas ta mère. Sa personnalité m'intimidait et, en sa présence, je me sentais incapable de l'aborder normalement ou de me concilier ses bonnes grâces. C'était impossible de savoir ce qu'il pensait. Je lisais ses livres, que ta mère m'apportait quand elle venait me rendre visite. Je les étudiais en détail en essayant d'y trouver les clefs cachées pour pénétrer dans le labyrinthe de son cerveau. Je n'y suis jamais parvenue.

» Ton père a été un homme mystérieux qui ne parlait jamais de sa famille ni de son passé. C'est peut-être pour cela que je n'ai jamais été capable de deviner la menace qui pesait sur lui et sur ma fille, une menace née de ce passé obscur et insondable. Il ne m'a jamais donné une occasion de l'aider et, à l'heure du malheur, il est resté seul, comme il l'avait été toute sa vie, dans sa forteresse de solitude librement choisie, dont une seule personne a possédé les clefs pendant les années qu'elle a partagées avec lui : Kylian.

» Mais ton père, comme nous tous, avait un passé, et de celui-ci émergea la créature qui devait plonger notre famille dans les ténèbres et la tragédie.

» Quand ton père était jeune et parcourait, affamé, les rues de Calcutta en rêvant de chiffres et de formules mathématiques, il avait connu un garçon, à peu près du même âge que lui, orphelin et seul. Ton père vivait alors dans le dénuement et, comme d'innombrables enfants de cette ville, il était la proie des fièvres qui tous les ans fauchaient des milliers d'existences. Durant la saison des pluies, la mousson déchargeait ses violentes tourmentes sur la péninsule du Bengale, et la crue du delta du Gange inondait tout le pays. Année après année, le lac salé, qui se trouve toujours à l'est de la ville, débordait ; au passage des pluies, les cadavres des poissons morts exposés au soleil après avoir été recouverts par les eaux produisaient une nuée de vapeurs empoisonnées qui, charriées par les vents des montagnes, balayaient les rues et semaient la maladie et la mort comme une plaie de l'enfer.

» Cette année-là, ton père a été victime des miasmes mortels. Il aurait péri s'il n'avait pas eu un camarade, Jawahal, qui l'a soigné pendant vingt jours dans une masure en torchis et en madriers à demi brûlés au bord du Hooghly. Ton père, en se remettant, a juré qu'il protégerait toujours Jawahal et qu'il partagerait avec lui tout ce que l'avenir lui apporterait, parce que sa vie, désormais, lui appartenait. C'était un serment d'enfants. Un pacte de sang et d'honneur. Cependant, il y avait quelque chose que ton père ignorait : Jawahal, cet ange du salut âgé d'à peine onze ans, portait dans ses veines une maladie beaucoup plus terrible que celle qui avait failli lui coûter la vie. Une maladie qui se manifesterait bien plus tard, d'abord d'une manière imperceptible, puis avec la fatalité d'une damnation : la folie.

» Des années plus tard, ton père a appris que la mère de Jawahal s'était donné la mort dans les flammes, sous les yeux de son fils, en sacrifice à la déesse Kali, et que la mère de sa mère avait fini ses jours dans une cellule misérable d'un asile de fous de Bombay. Elles n'étaient que les maillons d'une longue chaîne d'épisodes qui faisaient de l'histoire de cette famille un chemin d'horreur et de malheur. Mais ton père était un homme fort, même enfant, et il a assumé la responsabilité de protéger son ami, quelle que soit sa terrible hérédité.

» Tout s'est bien passé jusqu'au jour où, arrivé à l'âge de dix-huit ans, Jawahal a assassiné de sang-froid un commerçant du bazar qui avait refusé de lui vendre un médaillon en alléguant son aspect et en mettant sa solvabilité en doute. Ton père a caché Jawahal chez lui pendant des mois. Il a mis son existence et son avenir en danger pour le protéger de la justice qui le recherchait. Il y est parvenu, mais ce n'avait été que le premier pas. Une année plus tard, dans la nuit du nouvel an hindou, Jawahal a mis le feu à une maison où vivaient une douzaine de vieilles femmes et s'est assis dans la rue pour assister à l'incendie jusqu'à ce que les poutres embrasées s'écroulent. Cette fois, ton père n'a rien pu faire pour le soustraire à la justice.

» Il y a eu un procès, long et terrible, à l'issue duquel Jawahal a été condamné à la prison à perpétuité. Ton père a fait ce qu'il a pu pour l'aider : il a dépensé ses économies pour lui payer des avocats, lui envoyer du linge propre dans la prison où il était détenu et soudoyer ses gardiens pour qu'ils ne le tourmentent pas. Le seul remerciement qu'il a reçu de son ami a été des paroles de haine. Jawahal l'a accusé de l'avoir dénoncé, abandonné, et d'avoir voulu se débarrasser de lui. Il lui a reproché d'avoir rompu le serment qu'ils avaient fait tous les deux des années plus tôt. Il a juré de se venger parce que, comme il l'a crié rageusement à la lecture du verdict, la moitié de sa vie lui appartenait.

» Ton père a enterré ce secret au plus profond de son cœur et n'a jamais voulu que ta mère soit au courant. Les ans ont effacé les signes extérieurs de ce souvenir. Après le mariage et les premières années de succès de ton père, tout cela paraissait n'être plus qu'un épisode perdu dans un passé lointain.

» Je me souviens de l'époque où ta mère s'est retrouvée enceinte. Ton père était devenu une autre personne, un inconnu. Il a acheté un chiot de berger en affirmant qu'il en ferait la meilleure des nounous pour son futur enfant, et il ne cessait de parler de la maison qu'il allait construire, d'un nouveau livre…

» Un mois plus tard, le lieutenant Michael Peake, un des anciens soupirants de ta mère, a sonné à sa porte avec une nouvelle qui allait semer la terreur dans leur existence : Jawahal avait mis le feu au pavillon

135

de la prison pour criminels dangereux où il était enfermé et s'était évadé, non sans avoir auparavant écrit sur le mur de sa cellule, avec le sang de son codétenu égorgé, le mot *vengeance.*

» Peake s'est engagé personnellement à chercher Jawahal et à les protéger de toute menace éventuelle. Deux mois ont passé sans que l'on ait de nouvelles ni de traces de la présence de Jawahal. Jusqu'au jour de l'anniversaire de ton père.

» Au matin, est arrivé un paquet à son nom livré par un mendiant. Il contenait un médaillon, le bijou pour lequel Jawahal avait commis son premier assassinat, et un billet. Dans celui-ci, il expliquait que, après les avoir secrètement surveillés pendant plusieurs semaines et avoir constaté qu'il était désormais un homme connu doté d'une épouse radieuse, il voulait leur présenter ses vœux et peut-être leur rendre prochainement visite afin, comme il disait, de partager en frères ce qui leur appartenait à tous deux.

» Les jours suivants ont été marqués par la panique. Une des sentinelles que Peake avait placées pour surveiller la maison pendant la nuit a été retrouvée morte. Le chien de ton père a péri dans le fond du puits de la cour. Et chaque matin, malgré la surveillance de Peake et de ses hommes, les murs de la maison portaient de nouvelles menaces tracées avec du sang.

» Ce furent des jours difficiles pour ton père. Il venait de terminer la construction de son chef-d'œuvre, la gare de Jheeter's Gate sur la rive est du Hooghly. C'était une architecture d'acier impressionnante et révolutionnaire. Elle marquait l'aboutissement de son projet, longuement mûri, d'établir dans tout le pays un réseau de chemins de fer qui, en brisant la suprématie britannique, permettrait de développer le commerce et de moderniser les provinces. C'était, depuis toujours, une de ses obsessions, dont il pouvait parler avec véhémence pendant des heures, comme s'il s'agissait d'une mission divine qui lui aurait été assignée.

» L'inauguration officielle de Jheeter's Gate a eu lieu à la fin de la semaine. Pour célébrer l'événement, il a été décidé d'affréter symboliquement un train qui transporterait trois cent soixante petits orphelins dans leur nouveau foyer à l'est du pays. Il s'agissait d'enfants des couches les plus pauvres, et le projet de ton père signifiait pour eux une existence nouvelle. C'était un engagement que ton père avait pris dès le premier jour et qui réalisait le rêve de sa vie.

» Ta mère a insisté jusqu'au désespoir pour être présente pendant quelques heures à la cérémonie et lui a assuré que la protection du lieutenant Peake et de ses hommes suffirait à garantir sa sécurité.

» Quand ton père est monté dans le train et a mis en marche la machine qui devait conduire les enfants à destination, il s'est produit quelque chose d'imprévu et pour lequel personne n'était préparé. Le feu. Un terrible incendie s'est propagé dans les différents niveaux de la gare et le long du train qui entrait dans le tunnel, transformant les wagons en véritable enfer roulant, une tombe d'acier brûlant pour les enfants qui étaient à l'intérieur. Ton père est mort cette nuit-là en tentant inutilement de sauver les enfants, tandis que ses rêves s'évanouissaient pour toujours dans les flammes.

» Lorsque ta mère a reçu la nouvelle, elle a été sur le point de te perdre, Sheere. Mais le sort, fatigué d'accabler la famille de malheurs, a consenti à te sauver. Trois jours plus tard, peu avant l'accouchement, Jawahal et ses hommes ont fait irruption dans la maison. Ils l'ont enlevée, non sans avoir proclamé auparavant que la tragédie de Jheeter's Gate avait été leur œuvre.

» Le lieutenant Peake, qui avait réussi à survivre, les a suivis jusque dans les profondeurs de la gare, un lieu abandonné et maudit où personne n'était plus entré depuis la nuit du drame. Jawahal a laissé dans la maison une lettre où il jurait de tuer ta mère et l'enfant qu'elle allait mettre au monde. Il n'y avait pas un enfant. Il y en avait deux. Des jumeaux. Un garçon et une fille. Vous deux, Ben et Sheere… »

Aryami relata le reste de l'histoire : comment Peake avait réussi à les sauver et à les transporter jusque chez elle, comment elle avait décidé de les séparer et de les cacher à l'assassin de leurs parents… Sheere et Ben ne l'écoutaient plus. Ian observait en silence les visages blêmes de son meilleur ami et de Sheere. Ils restaient figés sur place : les révélations qu'ils avaient entendues des lèvres de la vieille dame semblaient les avoir transformés en statues. Ian poussa un profond soupir et regretta d'avoir été choisi pour assister à cette étrange réunion familiale. Il se sentait atrocement mal à l'aise d'avoir à tenir le rôle de l'intrus dans le drame de ses amis.

Il n'en ravala pas moins sa consternation, et ses pensées se concentrèrent sur Ben. Il tentait d'imaginer la tempête intérieure que l'histoire d'Aryami devait avoir déchaînée en lui et maudissait la brusquerie avec laquelle, poussée à bout par la peur et la fatigue, la vieille dame avait dévoilé des événements dont l'importance était probablement encore plus dramatique qu'elle ne le paraissait. Il essaya d'écarter de son esprit pour le moment cette vision d'un train en flammes que Ben avait relatée le matin même. Les pièces de ce casse-tête se multipliaient à une vitesse effrayante.

Il ne pouvait oublier les dizaines de fois où Ben avait affirmé qu'eux, les membres de la Chowbar Society, étaient des personnages sans passé. Il craignait que la rencontre de Ben avec son histoire dans la pénombre de cette demeure ne le dévaste intérieurement, sans remède possible. Ils vivaient l'un près de l'autre depuis tout petits et Ian n'ignorait rien des longues et impénétrables mélancolies de Ben, au cours desquelles il valait mieux le soutenir sans poser de questions ou tenter de lire dans ses pensées. Connaissant son ami comme il le connaissait, il devinait que Ben, qui avait l'habitude de se dissimuler derrière une façade de fierté et de fougue, venait d'encaisser cette révélation comme un coup de poignard fatal, une blessure dont il n'accepterait jamais de parler.

Ian posa la main doucement sur l'épaule de son camarade, mais celui-ci ne parut pas s'en apercevoir.

Ben et Sheere qui, à peine quelques heures plus tôt, s'étaient sentis unis par un lien de sympathie et d'affection croissant, paraissaient incapables, maintenant, de se regarder l'un l'autre, comme si les nouvelles cartes qui venaient d'être distribuées dans le jeu les avaient dotés d'une extrême pudeur ou d'une crainte élémentaire d'échanger ne fût-ce qu'un geste.

Aryami dévisagea Ian, inquiète. Le silence régnait dans le salon. Les yeux de la vieille dame imploraient le pardon pour la messagère porteuse de mauvaises nouvelles. Ian pencha légèrement la tête, indiquant à Aryami qu'ils devraient sortir. La vieille dame hésita quelques instants. Ian se leva et lui tendit la main. Elle accepta son aide et le suivit dans la pièce voisine, laissant Ben et Sheere seuls. Ian s'arrêta sur le seuil et se retourna pour regarder son ami.

— Nous serons dehors, murmura-t-il.

Ben, sans lever les yeux, acquiesça.

Les membres de la Chowbar Society, qui patientaient dans la cour sous la chaleur écrasante, virent apparaître Ian, accompagné de la vieille dame, à la porte de la demeure. Il échangea quelques mots avec elle. Aryami approuva faiblement et chercha la protection de l'ombre d'une antique marquise en pierre sculptée. Ian, avec un air pétrifié et sévère que ses camarades considérèrent comme de mauvais augure, s'approcha du groupe et accepta la place à l'ombre qu'on lui ménagea. Les regards se concentrèrent sur lui comme des mouches sur du miel. À quelques mètres de là, Aryami les observait, effondrée.

— Alors ? demanda Isobel, exprimant le sentiment général de l'assemblée.

— Je ne sais par où commencer, répondit Ian.

— Commence par le pire, suggéra Seth.

— Tout est le pire, répliqua Ian.

Les autres le contemplèrent en silence. Ian esquissa un faible sourire.

— Dix oreilles t'écoutent, dit Isobel.

Ian répéta fidèlement tout ce qu'Aryami venait de révéler à l'intérieur de la maison, sans omettre un détail et en terminant sur un épilogue spécialement consacré à Ben et à Sheere restés seuls dans le salon et à la terrible épée qu'ils venaient de découvrir suspendue au-dessus de leurs têtes.

Quand il eut terminé, l'assemblée de la Chowbar Society avait oublié la chaleur suffocante qui tombait du ciel comme un châtiment de l'enfer.

— Comment Ben a-t-il pris ça ? demanda Roshan.

Ian haussa les épaules et fronça les sourcils.

— Pas très bien, je suppose, risqua-t-il.

— Qu'est-ce qu'on va faire, maintenant ? questionna Siraj.

— Que pouvons-nous faire ? rétorqua Ian.

— Beaucoup de choses, trancha Isobel, sauf nous rôtir le derrière au soleil pendant qu'un assassin essaye de trucider Ben. Et Sheere avec lui.

— Personne n'est contre ? s'enquit Seth.

Tous confirmèrent à l'unisson.

— Bien, colonel, dit Ian en s'adressant directement à Isobel. Quels sont les ordres ?

— D'abord, quelqu'un devrait rassembler tout ce qu'il est possible de savoir sur l'histoire de cet accident de Jheeter's Gate et sur l'ingénieur.

— Je peux le faire, proposa Seth. Il y a sûrement des articles de la presse de l'époque à la bibliothèque du musée indien. Et probablement des livres.

— Seth a raison, dit Siraj. L'incendie de Jheeter's Gate a fait du bruit en son temps. Beaucoup de gens s'en souviennent encore. Il doit exister toute une documentation dessus. Le ciel sait où, mais elle doit exister.

— Il faudra donc la chercher, conclut Isobel. Ça peut être un point de départ.

— Je l'aiderai, ajouta Michael.

Isobel acquiesça fermement.

— Il nous faut tout connaître de cet homme et de cette maison merveilleuse qu'on suppose ne pas être loin d'ici. Peut-être que cette piste nous mettra sur celle de l'assassin.

— Nous chercherons la maison, suggéra Siraj en se désignant avec Roshan.

— Si elle existe, elle est à nous, ajouta Roshan.

— D'accord, mais pas question d'y entrer.

— Pas de problème, la rassura Roshan en montrant ses paumes ouvertes.

— Et moi ? Qu'est-ce que je suis supposé faire ? questionna Ian à qui on n'attribuait pas aussi facilement qu'à ses camarades de missions correspondant à ses compétences.

— Tu restes avec Ben et Sheere, décréta Isobel. Tel que nous connaissons Ben, et avant même que nous ayons le temps de nous en rendre compte, il aura toutes les dix minutes de nouvelles idées impossibles. Reste près de lui et veille à ce qu'il ne fasse pas de folies. Ce n'est pas du tout indiqué qu'il se balade dans les rues avec Sheere.

Ian approuva, conscient que sa mission était la plus difficile du lot distribué par Isobel.

— Nous nous retrouverons au Palais de Minuit avant la tombée de la nuit, conclut celle-ci. Quelqu'un a des hésitations ?

Les jeunes gens se regardèrent et hochèrent la tête négativement à plusieurs reprises.

— Dans ce cas, on y va.

Seth, Michael, Roshan et Siraj partirent sans plus attendre afin d'accomplir leurs missions respectives. Isobel resta près de Ian, observant leur départ en silence, dans le miroitement qui montait des rues poussiéreuses et brûlantes sous le soleil.

— Et toi, Isobel, que penses-tu faire ? demanda Ian.

Elle se tourna vers lui avec un sourire énigmatique.

— J'ai une intuition.

— J'ai peur de tes intuitions comme j'aurais peur d'un tremblement de terre. Qu'est-ce que tu prépares ?

— Tu as tort de t'inquiéter, Ian.

— C'est justement quand tu dis ça que je m'inquiète pour de bon.

— Je ne viendrai peut-être pas ce soir au Palais, expliqua Isobel. Si je ne suis pas là, fais ce que tu dois faire. Tu sais toujours ce qu'il faut faire, Ian.

Le garçon soupira, soucieux. Il n'aimait pas ces airs de mystère et l'éclat étrange qui brillait dans les yeux de son amie.

— Isobel, regarde-moi, ordonna-t-il.

La jeune fille lui obéit.

— Je ne sais pas de quoi il s'agit, mais je t'en prie, ôte-toi ça de la tête.

— Je sais me défendre, Ian, répliqua-t-elle, le sourire aux lèvres.

Les lèvres de Ian furent incapables d'imiter celles d'Isobel.

— Ne fais rien que je ne ferais moi-même, supplia-t-il.

Elle rit.

— Je ferai seulement une chose que jamais tu n'oserais faire, murmura-t-elle.

Il l'observa, perplexe et sans comprendre. Puis, sans effacer de son regard cette lueur énigmatique, Isobel s'approcha de Ian et l'embrassa doucement sur les lèvres, les effleurant à peine.

— Prends soin de toi, Ian, lui chuchota-t-elle à l'oreille. Et ne te fais pas d'illusions.

C'était la première fois qu'Isobel l'embrassait. En la voyant s'éloigner dans la jungle de la cour, Ian ne put chasser de son esprit une soudaine et inexplicable peur que ce soit peut-être aussi la dernière.

Presque une heure plus tard, Ben et Sheere émergèrent à la lumière du jour, le visage impénétrable et affichant un calme étonnant. Sheere alla vers Aryami qui était restée tout ce temps seule sous la marquise de la maison, indifférente aux tentatives de conversation de Ian, et s'assit près d'elle. Ben marcha directement sur Ian.

— Où sont les autres ? demanda-t-il.

— Nous avons pensé qu'il serait utile de faire quelques investigations à propos de cet individu, Jawahal.

— Et tu es resté pour nous servir de nounou ? plaisanta Ben, bien que son ton prétendument enjoué ne les trompe ni l'un ni l'autre.

— Si tu veux. Comment te sens-tu ? voulut savoir Ian en tournant la tête vers Sheere.

Son ami hocha la tête.

— Assommé, je suppose, concéda-t-il finalement. J'ai horreur des surprises.

— Isobel dit que ce n'est pas une bonne idée que vous restiez ici. Je crois qu'elle a raison.

— Isobel a toujours raison, sauf quand elle discute avec moi. Mais je suis d'accord, ce lieu n'est pas sûr. Même s'il est resté fermé plus de quinze ans, c'est toujours la maison familiale. Et St. Patrick's ne semble pas non plus recommandé.

— Je crois que le mieux serait d'aller au Palais et d'attendre les autres, suggéra Ian.

— C'est le plan d'Isobel ?

— Devine.

— Où est-elle allée ?

— Elle n'a pas voulu me le dire.

— Un de ses pressentiments ? s'enquit Ben, alarmé.

Ian confirma et Ben soupira, abattu.

— À la grâce de Dieu ! finit-il par lancer en donnant une tape dans le dos de son ami. Je vais aller parler aux dames.

Ian se tourna vers Sheere et Aryami Bosé. Elles discutaient avec animation. Il échangea un regard avec Ben.

— Je soupçonne la vieille dame de maintenir ses plans de partir demain matin pour Bombay, commenta ce dernier.

— Tu iras avec elle ?

— Je n'ai pas l'intention de jamais quitter cette ville. Et moins encore maintenant.

Les deux amis observèrent la conversation entre la grand-mère et la petite-fille pendant quelques minutes encore, puis Ben se dirigea vers elles.

— Attends-moi ici, dit-il calmement.

Aryami Bosé retourna dans la maison, laissant Ben et Sheere seuls sur le seuil. Sheere avait le visage rouge de colère. Ben attendit qu'elle décide elle-même le moment de parler. Quand elle le fit, sa voix tremblait de rage et ses mains s'entrelacèrent pour former un nœud de fer.

— Elle exige que nous partions demain et ne veut plus parler de rien, expliqua-t-elle. Elle aimerait que tu viennes avec nous, mais dit qu'elle ne peut pas t'y obliger.

— Je suppose qu'elle croit que c'est la meilleure solution pour toi.

— Tu ne le penses pas ?

— Je mentirais si je te disais que je l'approuve, admit Ben.

— J'ai passé toute ma vie à fuir de ville en ville, en train, en bateau et en voiture à cheval, sans avoir de vraie maison, d'amis ou un foyer dont je pourrais me souvenir comme du mien. Je suis fatiguée, Ben. Je ne peux pas continuer à fuir toute ma vie quelqu'un dont je ne sais même pas qui il est.

Le frère et la sœur se dévisagèrent en silence.

— C'est une vieille femme, Ben. Elle a peur, parce que sa vie s'achève et qu'elle se sent incapable de nous protéger plus longtemps. Elle y met tout son cœur, mais fuir ne sert plus à rien. Pourquoi prendre demain ce train pour Bombay ? Pour nous arrêter dans une gare prise au hasard, sous un autre nom ? Pour mendier un toit dans le premier village venu en sachant qu'il faudra repartir dès le lendemain ?

— Tu l'as dit à Aryami ?

— Elle n'a pas voulu m'écouter. Mais, cette fois, je n'ai pas l'intention de recommencer à fuir. Cette maison est la mienne, cette ville est celle de mon père. C'est ici que je veux rester. Et si cet homme vient me chercher, je lui ferai face. S'il veut me tuer, qu'il me tue. Et si je dois vivre, je ne suis pas disposée à rester une fugitive qui rend tous les jours grâce au ciel de voir encore une fois le soleil. Tu m'aideras, Ben ?

— Bien sûr.

Sheere le serra dans ses bras et s'essuya les yeux avec un coin de son manteau blanc.

— Tu sais, Ben, cette nuit, avec tes amis dans cette vieille maison abandonnée, votre Palais de Minuit, pendant que je vous racontais mon histoire, j'ai pensé que je n'ai jamais eu l'occasion d'être une enfant comme les autres. J'ai grandi avec pour unique compagnie des vieilles personnes, des peurs et des mensonges, des mendiants et des voyageurs anonymes. Je me suis rappelé comment je m'inventais des compagnons invisibles et comment je parlais avec eux pendant des heures dans les salles d'attente des gares, dans les voitures. Les adultes me souriaient. À leurs yeux, une petite fille qui parlait toute seule, c'était une vision adorable. Mais ça ne l'est pas, Ben. Ça n'a rien d'adorable d'être seule, dans son enfance ou dans sa vieillesse. Des années durant, je me suis demandé comment étaient les autres enfants, s'ils faisaient les mêmes cauchemars que moi, s'ils se sentaient aussi malheureux que moi. Celui qui prétend que l'enfance est le temps le plus heureux de la vie est un menteur ou un imbécile.

Ben observa sa sœur et sourit.

— Ou les deux à la fois. D'habitude, ça va de pair.

Sheere rougit.

— Excuse-moi. Tu trouves que je dis n'importe quoi ?

— Non. J'aime t'écouter. Et puis je crois que nous avons plus de choses en commun que tu ne le penses.

— Nous sommes frère et sœur ! s'écria Sheere en riant nerveusement. Tu te rends compte ! Jumeaux ! Ça paraît tellement incroyable !

— Bah, plaisanta Ben, comme on dit : tu ne peux choisir que tes amis. La famille, c'est par-dessus le marché.

— Alors, je préfère que tu sois mon ami.

Ian les rejoignit et constata avec soulagement que le frère et la sœur semblaient de bonne humeur et se permettaient même le luxe de blaguer, ce qui, au vu de la situation, n'était pas rien.

— Tu te rends compte, Ian, cette demoiselle veut être mon amie.

— Je ne te le conseillerais pas, Sheere. Je suis l'ami de Ben depuis des années, et tu vois où j'en suis. Vous avez pris une décision ?

Ben fit signe que oui.

— Est-ce bien celle que j'imagine ?

Ben hocha de nouveau la tête affirmativement. Sheere l'imita.

— Qu'est-ce que vous avez décidé ? demanda derrière eux la voix pleine d'amertume d'Aryami.

Les trois jeunes gens découvrirent la silhouette de la vieille dame, immobile dans l'ombre du seuil. Un silence tendu s'instaura entre eux.

— Nous ne prendrons pas le train demain, grand-mère, répondit Sheere calmement. Ni Ben ni moi.

Le regard brûlant de la vieille dame passa de l'un à l'autre.

— Les paroles de quelques morveux inconscients t'ont fait oublier en quelques minutes tout ce que j'ai mis des années à t'enseigner ? s'indigna Aryami.

— Non, grand-mère. J'ai pris ma décision seule. Et rien au monde ne m'en fera changer.

— Tu feras ce que j'attends de toi, trancha Aryami, mais on sentait l'odeur de la défaite dans chaque mot qu'elle prononçait.

— Madame…, commença poliment Ian.

— Toi, mon garçon, tu te tais, lança Aryami avec une froideur renouvelée.

Ian réprima son envie de répliquer et baissa les yeux.

— Grand-mère, dit Sheere, je ne prendrai pas ce train. Et tu le sais.

Aryami, de l'ombre où elle se tentait, contempla sa petite-fille en silence. Puis elle déclara finalement :

— Je t'attendrai demain matin à la première heure à la gare de Howrah.

Sheere soupira et Ben vit son visage s'enflammer de nouveau. Il lui prit le bras pour lui faire comprendre de ne pas poursuivre la discussion. Aryami fit lentement demi-tour et ses pas se perdirent à l'intérieur.

— Je ne peux pas la laisser ainsi, murmura Sheere.

Ben acquiesça. Sa sœur suivit Aryami dans le salon, où elle s'était assise face à la lueur des veilleuses. Ignorant la présence de sa petite-fille, elle ne se retourna pas et resta immobile. Sheere s'approcha d'elle et la prit doucement dans ses bras.

— Quoi qu'il arrive, grand-mère, je t'aime.

Aryami, toujours silencieuse, écouta les pas de Sheere s'éloigner de nouveau vers la cour, pendant que les larmes lui montaient aux yeux. Dehors, Ben et Ian attendaient le retour de Sheere et la reçurent en affichant l'expression la plus optimiste possible.

— Où allons-nous, maintenant ? demanda Sheere, les yeux baignés de larmes et les mains tremblantes.

— Au meilleur endroit de Calcutta, répondit Ben. Au Palais de Minuit.

Les dernières lumières de l'après-midi commençaient à pâlir, quand Isobel aperçut la structure fantomatique et anguleuse de l'ancienne gare de Jheeter's Gate qui émergeait des brumes du fleuve, comme le mirage d'une sinistre cathédrale qui aurait été dévorée par les flammes. La respiration coupée, la jeune fille s'arrêta pour contempler cet impressionnant enchevêtrement de centaines de poutrelles d'acier, d'arcs et de voûtes superposées, ce labyrinthe insondable de métal et de verre éclaté par le feu. Un ancien pont en ruine, totalement abandonné, traversait le fleuve. Il menait, sur l'autre rive, juste devant la façade de la gare, qui béait telle la gueule noire d'un dragon immobile et aux aguets dont les rangées infinies de dents longues et acérées disparaissaient dans les ténèbres de l'intérieur.

Isobel marcha jusqu'au pont qui conduisait à Jheether's Gate et zigzagua entre les anciens rails qui traçaient une voie morte vers ce mausolée sorti des enfers. Les poutrelles formant la charpente de la gare étaient désormais rouillées et noircies, et toutes sortes de plantes sauvages y poussaient. L'armature rouillée du pont grinçait sous ses pas. Elle ne tarda pas à apercevoir des écriteaux en interdisant l'entrée et avertissant du danger d'écroulement. Aucun train n'était plus jamais passé sur ce pont et, à en juger par son aspect désolé et dégradé, Isobel supposa que personne n'avait eu l'idée de le réparer ni même de le franchir à pied.

À mesure qu'elle laissait la rive est de Calcutta derrière elle et que le fantasmagorique puzzle d'acier et d'ombres de Jheeter's Gate se dressait devant elle sous le manteau écarlate du crépuscule, Isobel se demandait si l'idée de visiter ce lieu était aussi pertinente qu'elle l'avait pensé. S'imaginer dans le rôle d'une aventurière intrépide était une chose ; s'immerger dans ce scénario effrayant sans connaître une seule page du troisième acte en était une autre, très différente.

Un souffle de vapeurs imprégnées de cendre et de poussière de charbon qui sortaient des tunnels dissimulés dans les entrailles de la gare lui caressa la figure. C'était une puanteur acide et pénétrante, une odeur que, sans raison apparente, Isobel associait à celle d'une vieille usine enterrée sous des gaz mortels et des couches d'ordures et de rouille. Elle concentra son regard sur les premiers feux lointains des chalands qui suivaient le cours du Hooghly et tenta de penser à leurs mariniers anonymes, pendant qu'elle parcourait le tronçon de pont qui la séparait encore de l'entrée de la gare. Quand elle arriva à l'autre bout, elle s'arrêta entre les rails qui s'enfonçaient dans le noir et contempla la grande façade d'acier. Au-dessus, sous les taches infligées par les flammes, on pouvait encore lire les lettres gravées qui annonçaient le nom de la gare : JHEETER'S GATE. Il lui rappelait l'entrée d'un grand monument funéraire.

Isobel respira un bon coup et s'apprêta à commettre l'acte le plus pénible qu'elle ait jamais envisagé en seize ans de vie : pénétrer dans ce lieu.

Exhibant le sourire béat d'élèves modèles, Seth et Michael subirent pendant plusieurs secondes l'examen impitoyable des yeux inquisiteurs de Mr De Rozio, bibliothécaire en chef de la salle principale du musée indien.

— C'est la demande la plus absurde que j'ai entendue de toute ma vie, affirma ce dernier. Au moins depuis ton dernier passage, Seth.

— Écoutez, monsieur De Rozio, nous savons que vous n'êtes ouvert que le matin et que ce que nous demandons, mon ami et moi, peut paraître un peu extravagant...

— Venant de toi, rien n'est extravagant, jeune homme, le coupa Mr De Rozio.

Seth réprima un sourire. Chez Mr De Rozio, les remarques ironiques qui se voulaient cinglantes étaient un signe sans équivoque de faiblesse et d'intérêt. Son prénom était inconnu du monde entier, à l'exception possible de sa mère et de son épouse, si tant est qu'il existât en Inde une femme suffisamment courageuse pour épouser un tel phénomène, l'exemple même du plus extraordinaire mélange de races que puisse produire le genre humain. Sous son aspect de cerbère bibliophile, Mr De Rozio cachait un terrible talon d'Achille : une curiosité et une propension aux commérages qui reléguaient les bonnes femmes du bazar à la condition de simples amateurs.

Seth et Michael se regardèrent à la dérobée et décidèrent de faire donner la grosse artillerie.

— Monsieur De Rozio, commença Seth sur un ton

mélodramatique, je ne devrais pas vous le dire, mais je me vois obligé de faire confiance à votre discrétion bien connue : plusieurs crimes sont liés à cette affaire, et nous avons très peur que d'autres se produisent si nous n'y mettons pas le holà.

Les yeux minuscules et pénétrants du bibliothécaire parurent s'agrandir en quelques secondes.

— Vous êtes sûrs que Mr Thomas Carter est au courant de votre démarche ? questionna-t-il avec sévérité.

— C'est lui qui nous envoie.

Mr De Rozio les dévisagea de nouveau, à la recherche de failles qui trahiraient de louches manigances.

— Et ton ami, s'étonna-t-il en désignant Michael, pourquoi ne parle-t-il jamais ?

— Il est très timide, monsieur.

Michael fit un léger geste d'assentiment, comme pour confirmer ces propos. Mr De Rozio toussota, dubitatif.

— Tu dis que ça concerne des crimes ? laissa-t-il tomber d'un air faussement indifférent.

— Des assassinats, monsieur, confirma Seth. Plusieurs.

Mr De Rozio regarda sa montre puis, après avoir réfléchi quelques secondes et jeté alternativement un coup d'œil au cadran et aux deux garçons, il haussa les épaules et capitula.

— C'est bon. Mais c'est la dernière fois. Comment s'appelle l'homme sur qui vous cherchez des informations ?

— Lahawaj Chandra Chatterghee, monsieur, s'empressa de répondre Seth.

— L'ingénieur? N'est-il pas mort dans l'incendie de Jheeter's Gate?

— Si, monsieur. Mais il y avait quelqu'un avec lui au moment de sa mort. Quelqu'un qui est resté vivant. Quelqu'un de très dangereux. Celui qui a provoqué l'incendie. Il est toujours là, prêt à commettre de nouveaux crimes…

Mr De Rozio eut un sourire ravi.

— Très intéressant, murmura-t-il.

Soudain, un soupçon assaillit le bibliothécaire. Il pencha sa masse considérable vers les deux garçons en agitant un doigt accusateur.

— Tout ça ne serait-il pas une invention de votre ami? Comment s'appelle-t-il, déjà?

— Ben ne sait rien de tout ça, monsieur De Rozio, le rassura Seth. Ça fait des mois qu'on ne se voit plus.

— Je préfère ça. Suivez-moi.

Isobel avança d'un pas mal assuré à l'intérieur de la gare et laissa ses pupilles s'adapter aux ténèbres qui y régnaient. Au-dessus d'elle, à des dizaines de mètres, s'étalait la voûte principale, formée de longues arcades d'acier et de verre. La plupart des verrières avaient fondu sous les flammes ou simplement explosé, pulvérisant une pluie d'éclats brûlants sur toute la gare. La lumière du soir filtrait entre les fissures du métal noirci et les morceaux de vitres qui avaient survécu à la tragédie. Les quais, qui se perdaient dans l'obscurité, dessinaient une courbe tout en douceur sous la grande voûte. Ils étaient couverts des restes de bancs brûlés et de poutrelles détachées de la toiture.

La grande horloge, qui avait jadis trôné sur le quai central tel un phare à l'entrée d'un port, se dressait maintenant comme une sentinelle sombre et muette. Isobel passa sous son cadran. Elle remarqua que les aiguilles s'étaient pliées comme de la gélatine vers le sol pour former des langues de chocolat fondu indiquant pour l'éternité l'heure de l'horreur qui avait dévoré la gare.

Rien dans ce lieu ne paraissait avoir changé, à part les traces laissées par des années de saleté accumulées et l'effet des pluies torrentielles de la mousson à travers les ouvertures latérales et les failles de la voûte.

Isobel s'arrêta pour contempler l'ensemble depuis son centre. Elle avait l'impression de se trouver dans un grand temple submergé, infini et insondable.

Une nouvelle bouffée d'air chaud et humide traversa la gare et agita ses cheveux, tout en faisant voleter des particules d'ordures sur les quais. Frissonnant, Isobel scruta les bouches noires des tunnels qui s'enfonçaient sous terre à l'extrémité de la gare. Elle aurait bien voulu être accompagnée des autres membres de la Chowbar Society, en ce moment où les événements prenaient une tournure peu réconfortante rappelant beaucoup trop les histoires que Ben se plaisait à inventer pour leurs veillées dans le Palais de Minuit. Elle fouilla dans sa poche et en sortit le dessin de Michael représentant les membres de la Chowbar Society posant devant le bassin où se reflétaient leurs visages. Elle sourit en se voyant reproduite par le crayon de

Michael et se demanda si c'était vraiment ainsi qu'il la voyait. Ils lui manquaient terriblement.

Elle entendit alors pour la première fois le bruit, distant et mêlé au murmure des courants d'air qui parcouraient ces tunnels. C'étaient des voix lointaines, pareilles à celles qu'elle avait entendues dans le brouhaha de la foule quand elle s'était immergée dans le Hooghly, des années plus tôt, le jour où Ben lui avait appris à plonger. Mais, cette fois, Isobel eut la certitude que, sortant du plus profond des tunnels, ce n'étaient pas les voix des pèlerins qui se rapprochaient. C'étaient des voix d'enfants, de centaines d'enfants. Et ils hurlaient de terreur.

Mr De Rozio caressa avec précision les trois plis superposés de son royal menton et examina de nouveau la pile de documents, articles de presse et papiers en tout genre qu'il avait réunis après plusieurs expéditions dans l'appareil digestif de la bibliothèque du musée indien, digne de celle d'Alexandrie. Seth et Michael l'observaient, anxieux.

— Bien, commença le bibliothécaire. C'est plus compliqué qu'il n'y paraît. Il y a beaucoup d'informations sur ce Lahawaj Chandra Chatterghee, sous différentes entrées. La plus grande partie de la documentation que j'ai consultée était répétitive et peu significative, mais il faudrait au moins une semaine pour mettre un peu d'ordre dans les papiers le concernant.

— Qu'avez-vous trouvé, monsieur ? demanda Seth.

— Un peu de tout, en réalité. Mr Chandra était un

brillant ingénieur, légèrement en avance sur son temps, idéaliste et obsédé par l'idée de laisser à ce pays un héritage qui soulagerait les pauvres de leurs malheurs, qu'il attribuait à la domination et à l'exploitation britanniques. Franchement, rien de très original. En résumé : un concentré de tout ce qui pouvait faire de lui un authentique persécuté. Pourtant, il a tout de même réussi à louvoyer au milieu des jalousies, des complots et des manœuvres destinées à lui saboter sa carrière, et à convaincre le gouvernement de financer son rêve doré : la construction de la ligne de chemin de fer qui relierait les principales capitales du Bengale au reste du continent.

» Chandra croyait que, de la sorte, le monopole commercial et politique, instauré à l'époque de Lord Clive et de la Compagnie grâce au trafic fluvial et maritime, verrait ses jours comptés. Ainsi, pensait-il, les habitants de l'Inde récupéreraient lentement le contrôle de la richesse de leur pays. Ce qui est sûr, c'est qu'il n'y avait pas besoin d'être ingénieur pour comprendre que ça ne se passerait pas comme ça.

— Y a-t-il quelque chose concernant un personnage du nom de Jawahal ? demanda Seth. C'était un ami de jeunesse de l'ingénieur. Il a eu plusieurs procès. Des affaires dont on a parlé, je crois.

— Ça doit se trouver quelque part, mon garçon, mais il y a un océan de documents à classer. Pourquoi ne revenez-vous pas dans une quinzaine de jours ? D'ici là, j'aurai eu la possibilité de mettre un peu d'ordre dans ce capharnaüm.

— Nous ne pouvons pas attendre deux semaines, monsieur, intervint Michael.

Surpris, Mr De Rozio observa le garçon.

— Une semaine? proposa-t-il.

— Monsieur, c'est une affaire de vie ou de mort. La vie de deux personnes est menacée.

De Rozio contempla un instant le regard intense de Michael et acquiesça, vaguement impressionné. Seth ne laissa pas échapper une seconde.

— Nous vous aiderons à chercher et à classer, monsieur.

— Vous? Je ne sais pas... Quand?

— Tout de suite, répliqua Michael.

— Vous connaissez le code de classement des fiches de la bibliothèque? interrogea Mr De Rozio.

— Par cœur, mentit Seth.

Le soleil plongea comme un grand globe sanglant derrière les verrières détruites de la façade est de Jheeter's Gate. En quelques secondes, Isobel assista au spectacle fascinant de centaines de lames de couteau d'une lumière écarlate déchirant horizontalement la pénombre de la gare. Le bruit des voix qui hurlaient alla crescendo. Elle entendit bientôt leur écho résonner sous la grande voûte. Le sol se mit à vibrer sous ses pieds, des éclats de verre se détachèrent de la toiture. Elle sentit comme une piqûre à l'avant-bras gauche et porta la main à l'endroit où un morceau de verre l'avait touchée. Le sang tiède coula entre ses doigts.

Elle courut à l'extrémité de la gare en se protégeant le visage.

Une fois à l'abri sous un escalier qui montait aux niveaux supérieurs, elle découvrit devant elle une immense salle d'attente dont les débris de bancs de bois brûlés jonchaient le sol. Les murs étaient couverts d'étranges peintures badigeonnées directement avec les mains, des figures représentant des formes humaines déformées et démoniaques, aux yeux exorbités et exhibant de longues griffes de loup. La vibration était maintenant plus intense. Isobel s'approcha de l'entrée du tunnel. Une violente bouffée d'air brûlant embrasa son visage et elle se frotta les yeux, incapable de croire à ce qu'elle voyait.

Une locomotive aveuglante de lumière et enveloppée de flammes surgissait des profondeurs du tunnel. Elle crachait avec fureur des cercles de feu qui filaient tels des obus de canon avant d'éclater en anneaux de gaz incandescent. Isobel se jeta à plat ventre. Le train de feu traversa la gare dans le fracas assourdissant du métal entrechoqué et des cris de terreur des centaines d'enfants prisonniers des flammes. Isobel resta étendue, les yeux fermés, jusqu'à ce que le bruit du train s'évanouisse dans l'air.

Elle leva la tête et regarda autour d'elle. La gare, déserte, était remplie d'un nuage de vapeur qui montait lentement en se teintant du rouge intense des dernières clartés du jour. À un pas à peine d'elle se répandait une flaque d'une substance sombre et visqueuse qui brillait dans la lueur du crépuscule. Un moment, elle crut y discerner le reflet d'une femme triste et nimbée de lumière qui l'appelait. Elle tendit la main vers elle et trempa le bout de ses doigts dans ce liquide épais et chaud. Du sang. Elle retira aussitôt la main et l'essuya sur sa robe, pendant que la vision de ce visage spectral disparaissait. Haletante, elle se traîna jusqu'au mur et s'y adossa pour reprendre son souffle.

Au bout d'une minute, elle se leva et examina la gare. La clarté du soir faiblissait et la nuit noire ne tarderait plus à tomber. En cet instant précis, elle n'avait qu'une idée claire en tête : ne pas attendre ce moment à l'intérieur de Jheeter's Gate. Elle marcha nerveusement vers la sortie. Alors seulement elle découvrit une silhouette fantomatique qui avançait vers elle dans la brume recouvrant les quais de la gare. La forme leva une main. Isobel vit ses doigts prendre feu, éclairant ses pas. À cet instant, elle comprit qu'elle ne sortirait pas de là aussi facilement qu'elle y était entrée.

À travers le toit crevé du Palais de Minuit, on pouvait contempler le ciel semé d'étoiles, une mer infinie de minuscules veilleuses blanches. La tombée du jour avait emporté une partie de la chaleur accablante qui avait frappé la ville depuis l'aube, mais la brise qui caressait timidement les rues de la *ville noire* était à peine un soupir tiède et chargé de l'humidité montant du Hooghly.

En attendant l'arrivée des autres membres de la Chowbar Society, Ian, Ben et Sheere, moroses, perdus dans leurs pensées, laissaient s'écouler les minutes dans les ruines de la vieille demeure.

Ben avait choisi de se hisser jusqu'à sa retraite de prédilection, une poutre dénudée qui traversait horizontalement la façade du Palais. Assis exactement au centre, les jambes pendantes, il avait l'habitude de s'installer sur ce poste d'observation isolé pour admirer les lumières de la ville et les formes des palais et des cimetières qui bordaient le cours sinueux du Hooghly dans sa traversée de Calcutta. Il pouvait passer des heures là-haut, sans parler ni se donner la peine, ne fût-ce qu'une seconde, d'abaisser son regard vers le sol. Les membres de la Chowbar Society respectaient cette habitude, une de plus parmi les innombrables singularités de Ben. Ils avaient appris à ne pas troubler les longues périodes de mélancolie qui suivaient inévitablement sa descente du ciel.

Depuis la cour du Palais, Ian observa son ami à la dérobée et décida de lui permettre de profiter d'une de ses dernières retraites spirituelles. Il revint à la tâche qui avait occupé son temps et celui de Sheere durant la dernière heure : tenter d'enseigner à la jeune fille les rudiments du jeu d'échecs grâce à l'échiquier que la Chowbar Society conservait à son siège central. Les pièces étaient réservées aux championnats annuels qui avaient lieu en décembre ; invariablement, ils étaient remportés par Isobel, qui faisait preuve d'une supériorité quasiment insultante.

— Il existe deux théories concernant la stratégie des échecs, expliqua Ian. En réalité, il y en a des milliers, mais seules ces deux-là comptent vraiment. D'après la première, la clef du jeu est la seconde rangée de pièces : roi, reine, fou, cavalier, tour... Selon cette théorie, les pions ne sont que des pièces destinées à être sacrifiées pour le bon déroulement de la tactique. La seconde, en revanche, soutient que les pions peuvent et doivent être les pièces d'attaque les plus dangereuses, et qu'un stratège intelligent doit les employer en tant que tels pour obtenir la victoire. Moi, je pense qu'aucune des deux n'est bonne, mais Isobel défend ardemment la seconde.

La mention de sa camarade fit renaître son inquiétude de ne pas savoir où elle était. Sheere découvrit son expression anxieuse et le tira de ses pensées par une nouvelle question sur le jeu :

— Quelle est la différence entre tactique et stratégie ? Est-ce que c'est un problème purement technique ?

Ian réfléchit à la question de Sheere et soupçonna qu'il ne possédait pas la réponse.

— C'est une différence littéraire, pas réelle, affirma la voix de Ben tombant des hauteurs. La tactique est l'ensemble des petits pas que l'on fait pour arriver quelque part. La stratégie, ce sont les pas que l'on fait quand il n'y a aucun endroit où arriver.

Sheere leva les yeux et sourit à Ben.

— Tu joues aux échecs, Ben ?

Il ne répondit pas.

— Ben méprise les échecs, expliqua Ian. D'après lui, c'est la deuxième façon la plus inutile de gaspiller l'intelligence humaine.

— Et quelle est la première ? demanda Sheere, amusée.

— La philosophie, répondit Ben de son perchoir.

— Ben *dixit,* conclut Ian. Pourquoi ne descends-tu pas, maintenant ? Les autres doivent être sur le point d'arriver.

— Je les attendrai, dit Ben en retournant dans ses nuages.

Il n'en descendit qu'une demi-heure plus tard, au moment où Ian s'était embarqué dans l'explication du gambit du cavalier et où Roshan et Siraj apparurent sur le seuil de la cour. Peu après, Seth et Michael firent de même, et tous se réunirent en cercle à la lueur d'un petit feu improvisé par Ian avec les derniers morceaux de bois sec qu'ils gardaient dans une remise couverte et protégée des pluies derrière le Palais. Les flammes firent courir des reflets cuivrés sur les visages des sept jeunes gens pendant que Ben faisait circuler une bouteille d'eau qui, si elle n'était pas fraîche, avait au moins l'avantage de ne pas être porteuse de fièvres mortelles.

— Nous n'attendons pas Isobel ? questionna Siraj, visiblement préoccupé par l'absence de l'objet de sa passion unilatérale.

— Il est possible qu'elle ne vienne pas, dit Ian.

Tous les regards convergèrent sur lui, perplexes. Il rapporta succinctement sa conversation de l'après-midi avec Isobel. Les visages de ses amis s'assombrirent. Quand il eut terminé, il rappela que la jeune fille avait dit que, avec ou sans elle, ils devaient mettre en commun le résultat de leurs démarches, et il laissa la parole à celui qui souhaitait s'exprimer le premier.

— D'accord, acquiesça Siraj, nerveux. Je vais vous raconter ce que nous avons trouvé. Après, je ne perdrai pas une seconde pour filer à la recherche d'Isobel. Il n'y a qu'une tête de mule comme elle pour décider de partir en expédition par une nuit pareille, seule et sans dire où elle allait. Comment as-tu pu la laisser faire, Ian?

Roshan vint à l'aide de Ian et posa sa main sur l'épaule de Siraj.

— On ne discute pas avec Isobel, tu le sais bien. On l'écoute. Raconte-nous l'histoire du hiéroglyphe, après quoi nous partirons tous les deux pour la retrouver.

— Un hiéroglyphe? questionna Sheere.

— Nous avons trouvé la maison, Sheere, expliqua Siraj. Ou, plutôt, nous savons où elle est.

Le visage de Sheere s'illumina subitement et son cœur battit très fort. Les jeunes gens se rapprochèrent du feu et Siraj sortit une feuille de papier sur laquelle, de son inimitable écriture d'enfant chétif, il avait copié des vers.

— Qu'est-ce que c'est? demanda Seth.

— Un poème, répliqua Siraj.

— Lis-le, dit Roshan.

La ville que j'aime est une obscure et profonde
maison de misères, un foyer d'esprits maudits
à qui nul n'ouvre ses portes ni son cœur.
L'amour que je porte à ma ville vient de son crépuscule,
ombre du mal et de gloires oubliées,
de destinées vendues et d'âmes en peine.
La ville que j'aime n'aime personne et ne connaît pas de
repos,
tour élevée à l'enfer incertain de notre sort ultime,

165

du châtiment que la malédiction a écrit en lettres de sang,
grand bal de tromperies et d'infamies,
bazar de ma tristesse...

Après cette lecture, ils restèrent tous les sept silencieux. Pendant une seconde, seuls les craquements du feu et la rumeur lointaine de la ville chuchotèrent dans la brise.

— Je connais ces vers, murmura Sheere. Ils appartiennent à un des livres de mon père. Ils viennent à la fin de mon conte préféré, l'histoire des larmes de Shiva.

— Exact, confirma Siraj. Nous avons passé tout l'après-midi à l'Institut Bengali de l'Industrie. C'est un édifice incroyable, presque en ruine, qui accumule des étages et des étages d'archives et de salles noyées sous la poussière et la saleté. Il y avait des rats, et je suis sûr qu'en y retournant de nuit nous pourrions découvrir qu'il s'y passe secrètement des choses...

— Bornons-nous à l'essentiel, l'interrompit Ben. S'il te plaît.

— D'accord, convint Siraj en remettant à plus tard son enthousiasme pour les mystères du lieu. L'essentiel, c'est qu'après trois heures de recherches (dont, vu le climat, je vous passe les détails), nous sommes tombés sur une liasse de papiers qui ont appartenu à ton père et qui étaient sous la garde de l'Institut depuis 1916, date de la catastrophe de Jheeter's Gate. Parmi eux, il y avait un livre portant sa signature autographe. On ne nous a pas permis de l'emporter, mais nous avons pu l'examiner. Et nous avons eu de la chance.

— Je ne vois pas en quoi, objecta Ben.

— Tu devrais être le premier à comprendre. À côté du poème, quelqu'un, je suppose le père de Sheere, a dessiné à la plume une maison, poursuivit Siraj avec un sourire mystérieux, tout en lui tendant le papier où était copié le poème.

Ben examina les vers et haussa les épaules.

— Je ne vois que des mots.

— Tu perds tes facultés, Ben. Dommage qu'Isobel ne soit pas là pour voir ça, plaisanta Siraj. Lis de nouveau. Attentivement.

Ben suivit les instructions et fronça les sourcils.

— Je donne ma langue au chat. Ces vers n'ont ni rythme ni structure. C'est seulement de la prose coupée comme par caprice.

— Exact, confirma Siraj. Et quelle est la norme de ce caprice ? Ou, dit autrement : pourquoi couper les vers à un endroit précis si on peut choisir n'importe quel autre ?

— Pour séparer les mots ? suggéra Sheere.

— Ou pour les réunir…, murmura Ben pour lui-même.

— Prends le premier mot de chaque vers et fais-en une phrase, conseilla Roshan.

Ben observa de nouveau le poème et regarda ses camarades.

— Lis seulement le premier mot, lui indiqua Roshan.

— *La maison à l'ombre de la tour du grand bazar*, lut Ben.

— Il existe au moins six bazars rien que dans le nord de Calcutta, fit remarquer Ian.

— Et combien ont une tour capable de projeter une ombre jusque sur les maisons construites autour ? rétorqua Siraj.

— Je ne sais pas, avoua Ian.

— Moi si. Deux : le Syambazaar et le Machuabazaar, au nord de la *ville noire*.

— Même ainsi, dit Ben, l'ombre qu'une tour peut dessiner pendant une journée se déplacerait en suivant la courbe d'un éventail d'au moins 180 degrés, en changeant toutes les minutes. Cette maison pourrait être en n'importe quel point du nord de Calcutta, autant dire en n'importe quel point de l'Inde.

— Un moment ! l'interrompit Sheere. Le poème parle de crépuscule. Il dit textuellement : *L'amour que je porte à ma ville vient de son crépuscule.*

— Vous avez cherché à vérifier ? demanda Ben.

— Naturellement, répondit Roshan. Siraj est allé au Syambazaar et moi au Machuabazaar, quelques minutes avant le coucher du soleil.

— Et alors ? le pressèrent-ils tous en chœur.

— L'ombre de la tour du Machuabazaar se perd dans d'anciens entrepôts abandonnés, expliqua Siraj.

— Roshan ? demanda Ian.

Le garçon sourit, prit dans le feu un bout de bois à demi brûlé et traça la silhouette d'une tour dans la cendre.

— Comme l'aiguille d'une horloge, l'ombre du

Syambazaar termine sa course aux portes d'une grande grille métallique derrière laquelle il y a une cour où pousse une épaisse végétation de palmiers et de broussailles. Au-dessus des palmiers, j'ai pu entrevoir le faîte d'une maison.

— C'est fantastique ! s'exclama Sheere.

Ben, cependant, ne manqua pas de remarquer une expression inquiète sur le visage de Roshan.

— Quel est le problème, Roshan ?

Roshan hocha lentement la tête.

— Je ne sais pas. Quelque chose dans cette maison ne m'a pas plu.

— Tu as vu quelque chose ? demanda Seth.

Roshan fit signe que non. Ian et Ben se regardèrent un moment en silence.

— Est-ce qu'il est venu à l'esprit de l'un d'entre vous que tout ça n'est peut-être qu'un piège ? demanda Roshan.

Ian et Ben échangèrent de nouveau un regard tacite et acquiescèrent. Ils pensaient la même chose.

— Nous prendrons le risque, dit Ben en mettant dans sa voix toute la conviction qu'il fut capable de feindre.

Aryami Bosé gratta une nouvelle allumette et la tendit vers la bougie blanche posée devant elle. Pendant que ses mains tremblantes l'approchaient de la mèche, la lumière vacillante de la flamme dessina les contours incertains du salon obscur. La bougie prit lentement feu et répandit un halo de clarté. La vieille dame souffla l'allumette. La petite tige de bois s'éteignit en dégageant une fumée bleutée qui monta lentement vers la pénombre. Le doux frôlement d'un courant d'air caressa ses cheveux et sa nuque. Elle se retourna. Une bouffée d'air froid, imprégné d'une puanteur acide et pénétrante, agita son châle et éteignit la flamme de la bougie. L'obscurité l'enveloppa de nouveau. La vieille dame entendit deux coups secs frappés à la porte de la maison. Elle serra les poings et observa qu'une mince clarté rougeâtre filtrait à travers les contours de la porte. Les coups se répétèrent, cette fois plus forts. Elle sentit une pellicule de sueur froide suinter des pores de son front.

— Sheere ? appela-t-elle faiblement.

L'écho de sa voix alla mourir dans les ténèbres de la maison. Il n'y eut pas de réponse. Quelques secondes plus tard, les deux coups retentirent de nouveau.

Aryami tendit la main en tâtonnant vers l'étagère au-dessus du foyer, où quelques braises agonisantes répandaient la seule clarté qui pouvait encore la guider. Elle fit tomber plusieurs objets, jusqu'à ce que ses doigts touchent la longue gaine métallique d'un poignard qu'elle rangeait là. Elle en retira l'arme et observa l'éclat doré qui serpentait sur la lame à la lueur des braises. Un rai de lumière apparut sous la porte de la maison. Aryami prit une profonde inspiration et se dirigea à petits pas vers elle. Elle s'arrêta devant et écouta le bruit du vent dans les feuilles des buissons de la cour.

— Sheere ? murmura-t-elle encore, sans plus obtenir de réponse.

Elle serra avec force le manche du poignard et, doucement, posa la main gauche sur la poignée de la porte en l'abaissant. Les grincements de la serrure rouillée se réveillèrent après des années de léthargie. La porte s'ouvrit lentement, et la clarté bleutée du ciel nocturne dessina un cône de lumière à l'intérieur. Il n'y avait personne dehors. Les buissons s'agitaient telle une mer de centaines de petites feuilles sèches, émettant un murmure hypnotique. Aryami s'avança d'un pas pour regarder au-delà de la porte. La cour était déserte. C'est alors que ses jambes heurtèrent un objet sur le seuil. Elle baissa les yeux et découvrit à ses pieds un petit panier. Couvert d'un voile opaque, il laissait néanmoins filtrer la clarté qui émanait de l'intérieur. Elle s'agenouilla à côté et écarta doucement le voile.

Dedans, elle trouva deux figurines de cire représentant les corps nus de deux bébés. De leur tête émergeait la pointe d'un filament de tissu allumé, et les deux effigies fondaient comme des cierges dans un temple. Un frisson lui parcourut le corps. Elle poussa le panier, qui roula au bas des marches de pierre brisée. Elle se releva et s'apprêtait à rentrer quand elle s'aperçut, au fond du long couloir conduisant à l'autre bout de la demeure, des pas invisibles enflammés qui s'approchaient d'elle. Le poignard lui échappa des doigts tandis qu'elle fermait la porte avec force.

La vieille dame descendit les marches avec précipitation, sans oser tourner le dos à la porte, et trébucha contre le panier qu'elle avait lancé quelques secondes plus tôt. Horrifiée, elle vit une langue de feu jaillir de sous la porte de sa maison et le bois vieilli s'enflammer comme un parchemin. Elle se traîna sur quelques mètres jusqu'aux buissons. Là, elle se releva douloureusement et observa, impuissante, les flammes qui sortaient des fenêtres et enveloppaient toute la maison d'un nœud mortel.

Elle courut vers la rue et ne se retourna pour regarder derrière elle que lorsqu'elle fut à une centaine de mètres de ce qui avait été sa demeure. Les flammes d'un bûcher ardent montaient dans le ciel, crachant avec furie braises et cendres brûlantes. Peu à peu, les habitants du quartier se mirent à leurs fenêtres et sortirent dans les rues, alarmés, pour contempler l'ampleur de l'incendie né en à peine quelques secondes. Aryami entendit le fracas du toit qui s'effondrait, donnant ainsi une nouvelle pâture au feu. Les visages de la foule rassemblée étaient balayés par une lumière aussi violente que celle d'un éclair d'orage pendant que tous se regardaient, atterrés, sans comprendre ce qui s'était passé.

Aryami Bosé versa des larmes d'amertume sur ce qui avait été le foyer de sa jeunesse, le foyer où elle avait donné naissance à sa fille. Puis, se perdant dans la confusion des rues de Calcutta, elle lui dit adieu pour toujours.

En suivant les indications que donnait le cryptogramme déchiffré par Siraj, déterminer la localisation exacte de la maison ne se révéla pas compliqué. Selon celles-ci, dûment confrontées aux observations relevées par Roshan sur place, la maison de l'ingénieur Chandra Chatterghee était située dans une rue tranquille reliant Jatindra Mohan Avenue et Acharya Profullya Road, à un mile, approximativement, au nord du Palais de Minuit.

Dès que Siraj eut constaté que le résultat de ses recherches avait été correctement assimilé par ses camarades, il manifesta son désir de ne pas perdre une minute de plus pour partir à la recherche d'Isobel. Toutes les tentatives pour le rassurer et le convaincre d'attendre le retour certain de la jeune fille n'eurent aucun effet. Finalement, fidèle à sa promesse, Roshan se proposa pour l'accompagner. Tous deux sortirent dans la nuit, après être convenus de retrouver les autres dans la maison de l'ingénieur Chandra Chatterghee dès qu'ils auraient des nouvelles d'Isobel.

— Et vous, demanda Ian en s'adressant à Seth et Michael, qu'est-ce que vous avez trouvé ?

— J'aimerais pouvoir apporter des résultats aussi spectaculaires que ceux de Siraj, mais nous nous sommes trouvés devant un océan de points d'interrogation, dit Seth en rendant compte de leur visite à Mr De Rozio, qu'ils avaient laissé en pleines recherches au musée avec la promesse de revenir dans les deux heures pour continuer à l'aider.

— Ce que nous avons trouvé jusqu'à maintenant confirme simplement l'histoire que nous a contée la grand-mère de Sheere, pardon, votre grand-mère, précisa Michael.

— Exact, déclara Seth. En fait, je crois que le plus

intéressant n'est pas ce que nous avons trouvé, mais ce que nous n'avons pas pu trouver.

— Explique-toi, demanda Ben.

— Je m'explique, continua Seth en se frottant les mains devant le feu. L'histoire de l'ingénieur Chandra commence à figurer dans les archives avec son entrée à l'Institut de l'industrie. Des documents montrent qu'il a refusé plusieurs propositions du gouvernement britannique de travailler à la construction de ponts et d'une ligne de chemin de fer qui devait relier Bombay et Delhi, le tout à usage exclusivement militaire.

— Aryami a bien dit l'aversion qu'il éprouvait pour les Britanniques, commenta Ben. Il les rendait coupables de la plupart des maux qui désolaient le pays.

— C'est vrai, confirma Seth. Pourtant, ce qui est curieux, c'est que, malgré cette antipathie ouverte, dont nous avons beaucoup de manifestations publiques, Chandra Chatterghee a participé à un étrange projet du gouvernement britannique entre 1914 et 1915, un an avant de mourir dans la tragédie de Jheeter's Gate. Il s'agissait d'une affaire obscure qui répondait à un nom bizarre : l'*Oiseau de Feu*.

Sheere haussa les sourcils et se rapprocha de Seth avec une mine consternée.

— Et cet Oiseau de Feu, qu'est-ce que c'était ?

— Difficile à déterminer. Mr De Rozio pense qu'il pourrait s'agir d'une expérience militaire. Une partie de la correspondance officielle qui figure dans les papiers de l'ingénieur est signée par un certain colonel Llewelyn. Selon De Rozio, il se vantait d'avoir eu le douteux honneur d'être le chef des forces responsables de la répression des manifestations pacifiques pour l'indépendance entre 1905 et 1915.

— Se vantait ? s'étonna Ben.

— C'est ça le plus bizarre. Sir Arthur Llewelyn, boucher officiel de Sa Gracieuse Majesté, est mort dans l'incendie de Jheeter's Gate. Que faisait-il là, c'est un mystère.

Les cinq jeunes gens se regardèrent, pris dans un flot de confusion.

— Essayons de mettre un peu d'ordre là-dedans, suggéra Ben. Nous avons d'un côté un brillant ingénieur qui refuse avec obstination les généreuses propositions du gouvernement britannique de travailler à son service pour des chantiers publics, en raison de sa haine manifeste de la domination coloniale. Jusque-là, tout se tient. Puis, soudain, apparaît ce mystérieux colonel, lequel l'engage dans une opération qui, de toute évidence, aurait dû lui soulever le cœur : une arme secrète, une expérience destinées à mater les foules. Et il accepte. Ça ne colle pas. À moins…

— À moins que le dénommé Llewelyn n'ait été doté d'un pouvoir de persuasion hors du commun, compléta Ian.

Sheere leva les mains en signe de protestation.

— Il est impossible que mon père ait accepté de participer à un projet militaire de quelque sorte que ce soit. Ni au service des Britanniques ni au service des Bengalis. Mon père détestait les militaires et les considérait comme des tueurs à la solde de gouvernements corrompus. Il n'aurait jamais prêté son talent à quelque chose destiné à tuer son propre peuple.

Seth l'observa en silence et pesa soigneusement ses paroles.

— Pourtant, Sheere, des documents semblent bien prouver que, d'une manière ou d'une autre, il a collaboré.

— Il doit y avoir une autre explication. Mon père était un écrivain et un bâtisseur ; il n'était pas un assassin d'innocents.

— Idéalisme mis à part, il y a sûrement une autre explication, intervint Ben. Et c'est ce que nous essayons de trouver. Revenons au supposé pouvoir de persuasion de Llewelyn. Comment a-t-il pu obliger l'ingénieur à participer ?

— On peut penser, expliqua Seth, que ce pouvoir ne résidait pas dans ce qu'il pouvait faire, mais dans ce qu'il pouvait laisser faire.

— Je ne comprends pas, dit Ian.

— C'est ma théorie, exposa Seth. Dans tout le dossier de l'ingénieur, nous n'avons trouvé aucune mention de Jawahal, son ami de jeunesse, excepté dans une lettre du colonel Llewelyn adressée à l'ingénieur Chandra et datée de novembre 1911. Dans celle-ci, notre ami le colonel ajoute un post-scriptum où il suggère succinctement que, si Chandra décline l'invitation à participer au projet, il se verra dans l'obligation d'offrir le poste à son vieil ami Jawahal. Et donc voilà ce que je pense : l'ingénieur avait réussi à cacher sa relation de jeunesse avec Jawahal, à l'époque en prison, et à poursuivre sa carrière sans que personne soupçonne la protection qu'il lui avait accordée. Mais supposons que le dénommé Llewelyn ait rencontré Jawahal dans sa prison et que celui-ci lui ait révélé la vraie nature de leurs relations. Cela l'aurait mis dans une excellente situation pour faire chanter l'ingénieur et l'obliger à collaborer.

— Comment pouvons-nous savoir que Llewelyn et Jawahal se connaissaient? questionna Ian.

— C'est seulement une supposition, mais elle n'est pas si hasardeuse que ça. Sir Arthur Llewelyn, colonel de l'armée britannique, décide de recruter un brillant ingénieur. Celui-ci refuse. Llewelyn fouille dans son passé et découvre une trouble histoire de procès dans lequel il est impliqué. Il décide de rendre visite à Jawahal dans sa prison, et celui-ci lui raconte ce qu'il souhaitait entendre. C'est simple.

— Je ne peux pas le croire, objecta Sheere.

— Parfois la vérité est ce qu'il y a de plus difficile à croire. Rappelle-toi ce qu'a dit Aryami, observa Ben. Mais ne nous précipitons pas. Est-ce que De Rozio continue ses recherches?

— Oui, et en ce moment même, répliqua Seth. La quantité de papiers est telle qu'il faudrait une armée de rats de bibliothèque pour tout mettre au clair.

— Vous vous êtes plutôt bien défendus, concéda Ian.

— Nous n'en attendions pas moins de vous, affirma Ben. Retournez auprès du bibliothécaire et ne le perdez pas une seconde de vue. Il y a dans tout ça quelque chose qui nous échappe.

— Et vous, qu'est-ce que vous allez faire ? demanda Michael, qui connaissait déjà la réponse.

— Nous rendre à la maison de l'ingénieur, répliqua Ben. Peut-être que ce que nous cherchons est dedans.

— Et peut-être aussi autre chose…, suggéra Michael.

Ben sourit.

— Comme je l'ai dit, nous prenons le risque.

Sheere, Ian et Ben arrivèrent devant la grille qui protégeait la maison de l'ingénieur Chandra Chatterghee peu avant minuit. À l'est, la silhouette anguleuse de l'étroite tour du Syambazaar se découpait sur la sphère de la lune et projetait son ombre en dessinant une mince aiguille noire vers l'insondable jardin de palmiers et d'arbustes sauvages qui masquaient l'énigmatique construction.

Ben s'appuya contre les barreaux métalliques qui formaient la grille et se terminaient par des pointes de lance effilées et menaçantes.

— Il va falloir grimper, constata-t-il. Et ça ne paraît pas facile.

— Ça ne sera pas nécessaire, dit Sheere, près de lui. Notre père a décrit chaque millimètre de cette maison dans son livre avant de la construire. J'ai passé des années à en mémoriser tous les détails. Si ce qu'il a écrit est juste, et je n'ai aucun doute là-dessus, derrière ces arbustes il y a un petit lac et, au-delà, se dresse la maison.

— Et ces barreaux, il en parlait aussi ? Je n'ai pas envie de terminer la nuit avec des accrocs partout.

— Il y a un autre moyen d'entrer dans la maison sans qu'il soit besoin de passer par-dessus cette grille, dit Sheere.

— Alors, qu'est-ce qu'on attend ? demandèrent Ian et Ben d'une seule voix.

Sheere les conduisit à travers une étroite ruelle, tout juste une brèche entre la grille et les murs contigus d'une construction de style arabe. Ils s'arrêtèrent devant une ouverture circulaire qui servait d'écoulement ou de collecteur principal des eaux de la maison. Une odeur âcre et mordante en sortait.

— C'est ici ? demanda Ben, incrédule.

— Qu'est-ce que tu espérais ? répliqua Sheere. Des tapis persans ?

Ben inspecta l'intérieur du tunnel et en respira de nouveau l'odeur.

— Superbe ! conclut-il, en guise de réponse à Sheere. À toi l'honneur.

L'Oiseau de Feu

Le tunnel débouchait à l'air libre sous l'arc d'un petit pont en bois, tendu au-dessus d'une nappe d'eau qui formait comme un obscur manteau de velours devant la maison de l'ingénieur Chandra Chatterghee. Sheere conduisit les deux garçons jusqu'à l'extrémité du bassin, le long d'un bord étroit et argileux qui cédait sous les pas, et s'arrêta pour contempler la construction dont elle avait rêvé toute son existence. Cette nuit, pour la première fois, elle pouvait la voir de ses propres yeux sous la voûte d'étoiles et de nuages en transit qui dessinaient comme une fuite infinie. Ian et Ben la rejoignirent en silence.

Il s'agissait d'une construction comportant un étage, avec une tour à chaque extrémité. Sa physionomie mêlait les traits de nombreux styles architecturaux : des profils edwardiens aux extravagances de palais princiers, en passant par des formes empruntées à un château perdu dans les montagnes de Bavière. L'ensemble, néanmoins, conservait une élégance sereine qui défiait le regard critique de l'observateur. La maison dégageait un charme, une séduction qui, passée la première impression de perplexité, suggéraient que cette impossible disparité de styles et de dessins avait été conçue pour coexister harmonieusement. Cachée au milieu de la jungle inextricable qui la camouflait au cœur de la *ville noire*, la résidence de l'ingénieur présentait l'aspect solide d'un palais et se dressait fièrement derrière le petit lac, tel un grand cygne noir contemplant son reflet dans un bassin d'obsidienne.

— Est-ce qu'elle correspond à la description de ton père ? demanda Ian.

Sheere confirma, émerveillée, et se dirigea vers les marches qui montaient vers la porte de la maison. Ben et Ian l'observèrent, dubitatifs, en se demandant comment elle pensait entrer dans cette forteresse. Sheere, elle, évoluait dans ce décor énigmatique comme si elle y avait habité depuis l'enfance. Le naturel avec lequel elle contournait des obstacles voilés par le manteau de la nuit inspirait aux deux garçons l'étrange sensation d'être des intrus, des invités accidentels, dans la rencontre entre Sheere et le rêve dont elle s'était nourrie au cours de ses années nomades. En la voyant gravir ces marches, ils comprirent que ce lieu désert et nimbé d'un halo fantomatique était le seul et véritable foyer qu'ait jamais eu la jeune fille.

— Vous allez rester plantés là toute la nuit ? lança-t-elle du haut des marches.

— On était en train de se demander par où on allait

entrer, répliqua Ben, et Ian confirma l'interrogation de son ami.

— J'ai la clef, dit la jeune fille.

— La clef ? s'étonna Ben. Où ça ?

— Ici, répondit Sheere en portant son index à sa tête. Les serrures de cette maison ne s'ouvrent pas avec une clef conventionnelle. Il existe un code.

Ben et Ian approchèrent, intrigués. Arrivés devant la porte, ils constatèrent qu'au milieu de celle-ci, autour d'un axe, étaient superposées quatre roues, dont le diamètre diminuait à mesure qu'elles s'éloignaient vers l'extérieur. Sur le périmètre de ces roues, on distinguait différents signes, gravés dans le métal comme sur le cadran d'une horloge.

— Qu'est-ce que signifient ces symboles ? demanda Ian en tentant de les déchiffrer dans la pénombre.

Ben prit une allumette dans la boîte qu'il portait toujours sur lui par mesure de précaution et l'enflamma devant les roues dentées du mécanisme de fermeture. Le métal brilla sous les yeux des jeunes gens.

— Des alphabets ! s'exclama Ben. Sur chaque roue est gravé un alphabet. Grec, latin, arabe et sanscrit.

— Fabuleux, soupira Ian. Un jeu d'enfant…

— Ne vous découragez pas, intervint Sheere. Le code est simple. Il suffit de composer un mot de quatre lettres avec les différents alphabets.

Ben l'observa attentivement.

— Quel est ce mot ?

— Dido, répondit la jeune fille.

— Dido ? s'étonna Ian. Qu'est-ce que ça veut dire ?

183

— C'est le nom latin de Didon, une reine de la mythologie phénicienne, expliqua Ben.

Sheere confirma. Ian se sentit jaloux de l'éclat qui semblait ne faire qu'un dans les regards croisés du frère et de la sœur.

— Je continue à ne pas comprendre, objecta-t-il. Que viennent faire les Phéniciens à Calcutta ?

— La reine Didon s'est jetée dans un bûcher funéraire pour apaiser la colère des dieux, à Carthage, précisa Sheere. C'est le pouvoir purificateur du feu… Les Égyptiens, eux aussi, avaient un mythe, celui du phénix.

— Le mythe de l'oiseau de feu, compléta Ben.

— Ce n'est pas le nom du projet militaire dont parlait Seth ? demanda Ian.

Son ami confirma.

— Cette histoire commence à me donner la chair de poule, se plaignit Ian. Vous ne pensez pas entrer tout de suite ? Qu'est-ce qu'on fait, maintenant ?

Ben et Sheere échangèrent un coup d'œil décidé.

— Très simple, répondit Ben. On ouvre cette porte.

Les paupières du gros bibliothécaire, Mr De Rozio, commençaient à prendre la consistance de dalles de marbre devant les centaines de documents qui l'entouraient. La marée de mots et de chiffres qu'il avait extraits des archives de l'ingénieur Chandra Chatterghee menait une danse ondoyante et capricieuse qui lui faisait l'effet d'une irrésistible berceuse.

— Les garçons, je crois que je vais laisser tout ça pour demain matin, commença-t-il.

Seth, qui sentait venir cette annonce depuis un bon bout de temps, surgit illico de derrière l'océan de dossiers et exhiba le sourire qu'il réservait pour les grandes occasions.

— Abandonner maintenant, monsieur De Rozio ? Impossible ! Nous ne pouvons pas faire ça.

— Encore quelques secondes, et je m'écroule sous la table, répliqua Mr De Rozio. Et Shiva, dans son infinie bonté, m'a octroyé un poids qui, la dernière fois que je me suis pesé, en février, oscillait entre 250 et 260 livres. Vous savez ce que ça représente ?

Le sourire de Seth se fit encore plus jovial.

— Environ 120 kilogrammes, calcula-t-il.

— Exact. As-tu essayé un jour de relever un adulte de 120 kilos, mon garçon ?

Seth médita la question.

— Là, tout de suite, je ne me souviens pas, mais…

— Un moment ! s'exclama Michael d'un point invisible de la salle, que l'on pouvait repérer grâce aux amas de cartons et aux piles de papiers jaunis. J'ai trouvé quelque chose !

— J'espère que c'est un oreiller, protesta Mr De Rozio en soulevant, épuisé, sa masse imposante.

Michael, portant un carton plein de papiers timbrés que le temps avait impitoyablement décolorés, sortit de derrière une colonne d'étagères poussiéreuses. Seth haussa les sourcils et pria pour que la trouvaille soit importante.

— Je crois que ce sont les actes d'un procès pour

une série d'assassinats, dit Michael. Il était sous une citation à comparaître au nom de l'ingénieur Chandra Chatterghee.

— Le procès de Jawahal ? bondit Seth, visiblement excité.

— Laisse-moi voir, ordonna Mr De Rozio.

Michael posa le carton sur le bureau du bibliothécaire. Un nuage de poussière jaunâtre se répandit sous le cône doré que projetait l'ampoule électrique. Les doigts boudinés du bibliothécaire feuilletèrent délicatement les documents, pendant que ses petits yeux scrutaient leur contenu. Seth guetta son visage, cœur battant, dans l'attente d'un mot ou d'un signe révélateur. Mr De Rozio s'arrêta sur une feuille qui portait plusieurs sceaux et la mit en pleine lumière.

— Ça, alors ! murmura-t-il pour lui-même.

— Qu'est-ce que c'est, monsieur ? implora Seth. Qu'avez-vous trouvé ?

Mr De Rozio leva les yeux et arbora un large sourire félin.

— J'ai dans les mains un document signé par le colonel Sir Arthur Llewelyn. Alléguant des raisons supérieures et le secret militaire, il ordonne de surseoir à la procédure judiciaire n° 089861/A de la quatrième chambre du tribunal du Palais de Justice de Calcutta devant laquelle doit comparaître le nommé Lahawaj Chandra Chatterghee, ingénieur, inculpé de recel et/ou de dissimulation de preuves dans une affaire d'assassinat, et exige le transfert de ladite procédure à la Cour suprême de justice militaire de l'armée de Sa Majesté, en annulant toutes les dispositions antérieures, de même que les preuves apportées tant par la défense que par le ministère public au cours de l'instruction. Daté du 14 septembre 1911.

Interdits, Michael et Seth dévisagèrent Mr De Rozio sans prononcer un mot.

— Eh bien, les garçons, conclut le bibliothécaire : lequel de vous saura nous faire du café ? La nuit risque d'être très longue…

La serrure aux quatre roues de l'alphabet émit un faible cliquetis et, après quelques secondes, la masse métallique de la porte s'ouvrit lentement à deux battants, laissant échapper l'air qui était resté prisonnier à l'intérieur pendant des années. Ian pâlit dans l'ombre.

— Elle s'est ouverte, murmura-t-il d'une voix tremblante.

— Tu as toujours été un excellent observateur, commenta Ben.

— Ce n'est pas le moment de plaisanter. Nous ne savons pas ce qu'il y a là-dedans.

Ben sortit sa boîte d'allumettes et l'agita en l'air en la faisant tinter.

— C'est juste une question de temps. Tu veux être le premier à entrer ?

Ian lui adressa un sourire plein de réticences.

— Je te cède cet honneur.

— J'irai la première, trancha Sheere en pénétrant dans la maison sans attendre la réponse des deux amis.

Ben se dépêcha de gratter une autre allumette et de

lui emboîter le pas. Ian jeta un dernier regard au ciel nocturne, comme s'il craignait de ne plus jamais avoir l'occasion de le contempler puis, après avoir pris une profonde inspiration, s'enfonça à l'intérieur de la maison de l'ingénieur. Un instant plus tard, la porte se referma dans son dos avec la même lenteur et la même précision qu'elle avait mise à s'ouvrir.

Les trois jeunes gens s'arrêtèrent l'un près de l'autre et Ben leva l'allumette. Sous leurs yeux s'étendait un spectacle impressionnant qui dépassait leurs rêves les plus fous concernant ce lieu.

Ils se trouvaient dans une salle couronnée d'une voûte concave soutenue par d'épaisses colonnes byzantines et couverte d'une fresque monumentale. Des centaines de figures de la mythologie hindoue constituaient une interminable chronique en images qui se déroulait en cercles concentriques autour d'une figure centrale sculptée en relief sur la peinture : la déesse Kali.

Les murs étaient formés par des rayons remplis de livres qui dessinaient des demi-cercles de plus de trois mètres de haut. Le sol était une mosaïque d'émaux noirs et de pointes de cristal de roche qui donnait l'illusion d'un firmament de constellations et d'étoiles. Ian observa attentivement le tracé devant ses pieds et reconnut la configuration des différentes figures célestes dont Bankim leur avait parlé à St. Patrick's.

— Il faudrait que Seth voie ça…, murmura Ben.

Au fond de la salle, au-delà de ce tapis d'étoiles qui représentait l'univers connu, un escalier en spirale conduisait à l'étage.

Tout à coup, la flamme de l'allumette se consuma entre les doigts de Ben. Les trois jeunes gens se retrouvèrent dans l'obscurité totale. À leurs pieds, cependant, les sentiers de constellations continuaient de briller comme le firmament nocturne.

— C'est incroyable, murmura Ian.

— Attends de voir l'étage, répliqua la voix de Sheere.

Ben gratta une nouvelle allumette et les deux amis aperçurent la jeune fille qui les attendait au pied de l'escalier en spirale. En silence, ils la rejoignirent.

L'escalier s'élevait dans une sorte de lanterne qui ressemblait à celles qu'ils avaient étudiées sur des gravures représentant certains châteaux français du bord de la Loire. En levant les yeux, les jeunes gens avaient l'impression de se trouver à l'intérieur d'un grand kaléidoscope couronné par une rosace digne d'une cathédrale, dont les vitraux multicolores transformaient la clarté de la lune et la décomposaient en centaines de rais bleus, écarlates, jaunes, verts et ambre.

Arrivés à l'étage, ils constatèrent que les flèches lumineuses qui sortaient du couronnement de la lanterne projetaient des motifs changeants qui parcouraient lentement les murs de la salle telles les images d'un primitif cinématographe fantôme.

— Regardez, dit Ben en désignant une surface qui s'étendait à un mètre au-dessus du sol et occupait un rectangle de quelque quarante mètres carrés.

Ils s'en approchèrent et découvrirent ce qui était apparemment une immense maquette de Calcutta, reproduite avec tant de réalisme qu'en l'observant de près elle donnait l'illusion de survoler la véritable ville. Ils reconnurent le cours du Hooghly, le Maidan, Fort William, la *ville blanche*, le temple de Kali au sud, la *ville noire* et même les bazars. Sheere, Ian et Ben, fascinés par la beauté et le charme envoûtant qui s'en dégageaient, détaillèrent avec émerveillement cette extraordinaire miniature pendant un long moment.

— Voilà la maison, indiqua Ben.

L'un contre l'autre, ils virent en effet qu'au cœur de la *ville noire* s'élevait une fidèle reproduction de la demeure où ils se trouvaient. Les lumières multicolores de la lanterne balayaient les rues de cette maquette comme des rayons tombés du ciel, révélant à leur passage les secrets cachés de Calcutta.

— Qu'y a-t-il derrière la maison ? demanda Sheere.

— On dirait une voie de chemin de fer, dit Ian.

— C'en est une, confirma Ben, en suivant son tracé jusqu'à la silhouette anguleuse et majestueuse de Jheeter's Gate, au bout d'un pont métallique qui traversait le Hooghly. Cette voie mène à la gare de l'incendie, reprit-il. C'est une voie désaffectée.

— Il y a un train arrêté sur le pont, observa Sheere.

Ben fit le tour de la maquette pour se rapprocher de la reproduction du chemin de fer. Un désagréable picotement lui parcourut le dos. Il reconnaissait ce train. Il l'avait vu la nuit précédente, avant de se convaincre qu'il avait fait un cauchemar. Sheere le rejoignit en silence et Ben aperçut des larmes dans ses yeux.

— C'est la maison de notre père, Ben, murmura-t-elle. Il l'a construite pour nous, pour qu'elle soit nôtre.

Ben l'entoura de ses bras et la serra contre lui. Ian, qui les observait depuis l'autre bout de la salle, détourna le regard. Ben caressa le visage de Sheere et l'embrassa sur le front.

— À partir de maintenant, ce sera toujours notre maison.

À cet instant, les lumières du petit train arrêté sur le pont s'allumèrent et, lentement, ses roues se mirent en mouvement sur les rails.

Pendant que, dans un silence sépulcral, Mr De Rozio consacrait toutes ses capacités d'analyse et son astuce de renard documentaliste aux actes du procès que le colonel Llewelyn avait mis tant de soin à enterrer, Seth et Michael faisaient la même chose avec un étrange dossier qui contenait des plans et de nombreuses notes de Chandra lui-même. Seth l'avait trouvé au fond d'un des cartons qui abritaient les papiers personnels de l'ingénieur. Après sa disparition, comme aucun membre de sa famille ni aucune institution ne les avait réclamés, et compte tenu de l'importance du personnage, ils étaient allés se perdre dans les limbes des archives du musée, qui partageait sa bibliothèque avec diverses institutions scientifiques et universitaires de Calcutta, parmi lesquelles l'Institut supérieur des travaux publics, dont Chandra Chatterghee avait été l'un des membres les plus illustres et les plus actifs. Le dossier était simplement cartonné et portait pour seule légende ces mots écrits à l'encre bleue : *L'Oiseau de Feu.*

Seth et Michael avaient tu leur découverte pour ne pas distraire le gros bibliothécaire de la tâche qui mobilisait ses talents et pour laquelle ses compétences de vieux diable archiviste étaient irremplaçables. C'est pourquoi ils s'étaient retirés à l'autre bout de la salle pour se livrer en silence à l'analyse des documents.

— Ces dessins sont formidables, murmura Michael en admirant la sûreté du trait de l'ingénieur sur diverses gravures représentant des objets mécaniques dont la fonction concrète lui paraissait mystérieuse et inexplicable.

— Restons-en à la raison pour laquelle nous sommes là, rectifia Seth. Qu'est-ce que ça dit de l'Oiseau de Feu ?

— Les sciences ne sont pas mon fort, commença Michael, mais je donnerais ma main à couper qu'il s'agit du détail d'un énorme engin incendiaire.

Seth observa les plans sans rien comprendre à leur signification. Michael alla au-devant de ses questions.

— Ça, c'est un réservoir de pétrole ou d'un autre type de combustible, indiqua-t-il sur les plans. Il est relié à un mécanisme d'extraction. C'est simplement une pompe d'alimentation, comme celle d'un puits. La pompe distribue le combustible pour entretenir ce cercle de flammes. Une sorte de pilote du feu.

— Mais ces flammes ne doivent pas mesurer plus de quelques centimètres, objecta Seth. Je ne vois nulle part qu'elles puissent déclencher un incendie.

— Observe ce conduit.

Seth vit ce dont parlait son ami : une sorte de tube pareil au canon d'un fusil.

— Les flammes affleurent dans le périmètre de la bouche du canon.

— Et alors ?

— Regarde de l'autre côté. C'est un réservoir : un réservoir d'oxygène.

— Chimie élémentaire, murmura Seth, commençant à comprendre.

— Imagine ce qui se passerait si cet oxygène sortait sous pression par le conduit et traversait le cercle de feu.

— Un torrent de flammes.

Michael referma le dossier et regarda son ami.

— Quel genre de secret cachait Chandra, qui l'obligeait à dessiner un jouet pareil pour un boucher comme Llewelyn ? Ça revenait à faire cadeau d'une charge de poudre à l'empereur Néron…

— C'est ce que nous devons découvrir, dit Seth. Et vite.

Sheere, Ben et Ian observèrent en silence le parcours du train à travers la maquette, jusqu'au moment où la petite locomotive s'arrêta juste derrière la maison en miniature de l'ingénieur. Les lumières s'éteignirent lentement et les trois amis demeurèrent immobiles, dans l'attente.

— Comment diable se déplace ce train ? demanda Ben. Il doit bien tirer de l'énergie de quelque part.

Est-ce qu'il existe un générateur électrique dans cette maison, Sheere ?

— Pas que je sache, répondit sa sœur.

— Il faut qu'il y en ait un, affirma Ian. Cherchons-le.

Ben hocha la tête négativement.

— Ce n'est pas ça qui m'inquiète. À supposer qu'il y en ait un, je ne connais aucun générateur qui se mette en marche tout seul. Encore moins après des années d'inactivité.

— Cette maquette fonctionne peut-être avec un autre type de mécanisme, suggéra Sheere sans trop de conviction.

— Ou il y a quelqu'un d'autre dans la maison, répondit Ben.

Ian jura intérieurement.

— Je le savais…, murmura-t-il, abattu.

— Attends ! s'exclama Ben.

Ian vit que son ami montrait de nouveau la maquette. Le train s'était remis en mouvement et refaisait le trajet dans l'autre sens.

— Il revient à la gare, observa Sheere.

Ben s'approcha lentement et tendit le bras vers la voie, tandis que la locomotive s'approchait peu à peu. Quand le train passa devant lui, il saisit la locomotive et la souleva en la décrochant des wagons. Le reste du convoi perdit lentement de la vitesse et finit par s'arrêter. Ben s'approcha de la clarté de l'escalier et examina la petite locomotive. Ses roues tournaient de moins en moins vite.

— Ce quelqu'un a un sens de l'humour plutôt étrange, commenta-t-il.

— Pourquoi ? demanda Sheere.

— Il y a trois figurines en plomb à l'intérieur de la locomotive, et elles nous ressemblent au-delà de toute coïncidence possible.

Sheere rejoignit Ben et prit la petite locomotive dans ses mains. Les lignes dansantes de la lumière dessinèrent un arc-en-ciel ondoyant sur son visage, et ses lèvres esquissèrent un sourire serein et résigné.

— Il sait que nous sommes ici. Ça n'a aucun sens de continuer à nous cacher.

— De qui parles-tu ? demanda Ian.

— De Jawahal, répondit Ben. Il attend. Ce que je ne sais pas, c'est quoi.

Siraj et Roshan s'arrêtèrent devant la silhouette spectrale du pont métallique qui se perdait dans la brume montant du Hooghly. Ils se laissèrent tomber contre un mur, épuisés, après avoir parcouru en vain la ville à la recherche de traces d'Isobel. Le sommet des tours de Jheeter's Gate perçait la brume en dessinant la crête d'un dragon sommeillant dans la vapeur de sa propre haleine.

— Le jour va bientôt se lever, dit Roshan. Nous devrions rentrer. Isobel nous attend peut-être déjà depuis des heures.

— Je ne crois pas, répondit Siraj.

Les effets de la course nocturne étaient perceptibles dans la voix du garçon mais, pour la première fois depuis des années, Roshan ne l'avait pas entendu un instant se plaindre de son asthme.

— Nous avons fouillé partout, insista Roshan. On ne peut pas faire plus. Allons au moins chercher du renfort.

— Il nous reste un endroit à visiter…

Roshan contempla la masse sinistre de Jheeter's Gate dans la brume et soupira.

— Isobel ne commettrait pas la folie d'entrer là-dedans. Et moi non plus.

— Dans ce cas, j'irai seul, trancha Siraj en se relevant.

Roshan l'entendit haleter et ferma les yeux, abattu.

— Viens te rasseoir ! lui cria-t-il tandis que les pas de Siraj s'éloignaient vers le pont.

Quand il ouvrit les yeux, la mince silhouette de Siraj s'enfonçait dans la brume.

— Je te maudis, murmura-t-il en se levant pour suivre son ami.

Siraj s'arrêta au bout du pont et contempla la façade de Jheeter's Gate qui se dressait devant lui. Roshan rejoignit son camarade et tous deux examinèrent le lieu. Un courant d'air froid sortait des tunnels de la gare. La puanteur du bois carbonisé et des ordures était de plus en plus forte. Les deux garçons essayèrent de distinguer quelque chose dans ce puits de noirceur qui s'ouvrait derrière le seuil de la grande voûte de la gare. L'écho lointain d'une pluie fine se répercutait sur les panneaux tombés à terre.

— On dirait la bouche de l'enfer, dit Roshan. Partons quand nous le pouvons encore.

— C'est juste dans ta tête. Rappelle-toi que c'est simplement une gare abandonnée. Il n'y a personne à l'intérieur. Rien que nous deux.

— S'il n'y a personne, pourquoi vouloir entrer ?

— Tu n'as pas besoin d'entrer si tu ne le veux pas, répondit Siraj sans la moindre nuance de reproche.

— C'est ça. Et tu iras seul, hein ? Laisse tomber. On y va.

Les deux membres de la Chowbar Society pénétrèrent dans la gare en suivant le tracé des rails qui passaient sur le pont et dessinaient la voie vers le quai central. L'obscurité sous la voûte était beaucoup plus dense qu'à l'extérieur et l'on peinait à discerner les contours des objets entre les taches de clarté grisâtre et aqueuse. Roshan et Siraj marchèrent lentement, à un mètre l'un de l'autre. L'écho de leurs pas formait une litanie monotone qui se joignait au chuchotement des courants d'air, dont le rugissement étouffé paraissait provenir de l'intérieur des tunnels comme la voix d'une mer lointaine et furieuse.

— Il vaudrait mieux monter sur le quai, suggéra Roshan.

— Il y a des années que des trains ne passent pas ici. Quelle importance ?

— Moi, je préfère, d'accord ? répliqua Roshan qui ne pouvait écarter de son esprit l'image d'un train débouchant du tunnel sur les rails et les écrasant sous ses roues.

Siraj murmura quelque chose d'inintelligible mais qui semblait marquer une acceptation. Il s'apprêtait à gagner le quai quand quelque chose surgit du tunnel, flottant dans l'air, et se dirigea vers eux.

— Qu'est-ce que c'est ? murmura Roshan, alarmé.

— Un morceau de papier, parvint à dire Siraj. Le vent charrie un tas de cochonneries, c'est tout.

La feuille blanche roula jusqu'à leurs pieds et s'arrêta juste devant Roshan. Il se baissa et la ramassa. Siraj vit son visage se décomposer.

— Qu'est-ce qu'il y a, encore ? questionna-t-il en sentant que la peur de Roshan commençait à devenir contagieuse.

Son ami lui tendit la feuille en silence. Siraj la reconnut tout de suite. C'était le dessin que Michael avait fait d'eux devant le bassin et qu'Isobel s'était approprié. Siraj le rendit à son camarade et, pour la première fois depuis le début de leurs recherches, envisagea la possibilité qu'Isobel soit réellement en danger.

— Isobel ? cria-t-il en direction des tunnels.

L'écho de sa voix se perdit dans les profondeurs et lui glaça le sang. Il essaya de se concentrer pour ne pas perdre le contrôle de sa respiration, qui devenait de plus en plus malaisée. Il laissa le reflet de sa voix s'évanouir et, faisant un effort pour dompter ses nerfs, appela de nouveau :

— Isobel ?

Un puissant choc métallique résonna quelque part dans la gare. Roshan fit un bond et inspecta les alentours. Le vent des tunnels lui fouetta le visage, et les deux garçons reculèrent de quelques pas.

— Il y a quelque chose là-bas au fond, murmura

Siraj en montrant le tunnel, avec un calme incompréhensible pour son camarade.

Roshan concentra sa vision sur la gueule noire du tunnel et finit par voir, lui aussi. Les feux lointains d'un train s'approchaient. Il sentit les rails vibrer sous ses pieds et regarda Siraj, épouvanté. Siraj avait un sourire étrange.

— Je ne pourrai pas courir aussi vite que toi, Roshan, déclara-t-il, impassible. Nous le savons tous les deux. Ne m'attends pas et va vite chercher de l'aide.

— De quoi parles-tu, bon sang ? s'exclama Roshan, parfaitement conscient de ce que son ami suggérait.

Les lumières du train pénétrèrent sous la voûte comme un éclair au cœur de l'orage.

— Cours ! ordonna Siraj. Tout de suite !

Le regard de Roshan plongea dans celui de son ami. Le fracas de la locomotive se rapprochait. Il comprit la décision de Siraj et se lança dans une course désespérée vers l'extrémité du quai, en quête d'un endroit où sauter hors de la trajectoire du train. Il y mit toutes ses forces, sans prendre le temps de regarder derrière lui, sûr qu'il était, s'il le faisait, de se retrouver face à l'avant de la locomotive. Les quinze mètres qui le séparaient du bout du quai en devinrent cent cinquante et, dans sa panique, il crut voir les rails s'allonger sous ses yeux dans une fuite vertigineuse. Lorsqu'il se jeta à terre et roula parmi les décombres, le train passa en rugissant à quelques centimètres de l'endroit où il était tombé. Il entendit les hurlements assourdissants des enfants et perçut sur sa peau la morsure des flammes pendant dix terribles secondes durant lesquelles il imagina que toute la gare s'écroulait sur lui.

Puis, d'un coup, ce fut le silence. Il se releva et ouvrit les yeux pour la première fois depuis qu'il avait sauté. La gare était de nouveau déserte. Il ne restait d'autre trace du passage du train que deux rangées de flammes qui s'éteignaient le long des rails. Il sentit comme une eau glacée se répandre dans ses entrailles et revint en courant vers le point où il avait vu Siraj pour la dernière fois. Maudissant sa lâcheté, il pleura de rage et constata qu'il était seul.

Le jour naissant au loin lui montrait le chemin de la sortie.

Les prémices de l'aube s'insinuaient timidement à travers les volets fermés de la bibliothèque du musée indien. Seth et Michael, épuisés, somnolaient, les coudes sur la table, au bord de l'inconscience. Mr De Rozio poussa un profond soupir et écarta sa chaise de son bureau en se frottant les yeux. Cela faisait des heures qu'il se débattait au milieu de l'océan de documents en essayant de débrouiller les fils de ce monstrueux dossier judiciaire ; son estomac exigeait qu'on s'occupe de lui en marquant une pause dans l'ingestion répétée de café, si l'on voulait qu'il continue d'accomplir ses fonctions sans perdre toute dignité.

— Je capitule, mes beaux endormis, tonna-t-il.

Seth et Michael levèrent la tête et constatèrent que le jour s'était réveillé avant eux.

— Qu'avez-vous trouvé, monsieur ? demanda Seth en réprimant un bâillement.

Son ventre grognait et sa tête lui donnait l'impression d'être remplie d'une soupe aux pommes de terre.

— Tu plaisantes, mon garçon ? dit le bibliothécaire. Je crois que vous vous êtes moqués de moi.

— Je ne comprends pas, monsieur, s'étonna Michael.

De Rozio bâilla à son tour longuement en laissant voir un gosier caverneux et en émettant un son qui évoqua chez les garçons l'image mentale d'un hippopotame éternuant dans un fleuve.

— C'est très simple. Vous êtes venus ici avec une histoire d'assassinats et de crimes et avec cette absurde intrigue autour d'un dénommé Jawahal.

— Mais tout ça est vrai. Nous avons des informations de première main.

De Rozio eut un rire sarcastique.

— Après tout, c'est peut-être vous qu'on a pris pour des idiots. Dans tout ce tas de papiers, je n'ai pas trouvé une seule mention de votre ami Jawahal. Rien. Zéro.

Seth sentit son estomac vide descendre jusque dans ses pieds par les jambes de son pantalon.

— Mais c'est impossible, monsieur. Jawahal a été condamné et envoyé en prison, avant de s'évader des années plus tard. Nous pourrions peut-être reprendre les choses par là. Par l'évasion. Elle doit bien figurer quelque part…

De Rozio le scruta avec scepticisme de ses yeux porcins et pénétrants. Son expression signifiait nettement qu'il ne leur laisserait pas de seconde chance.

— Si j'étais vous, mes enfants, je retournerais là où on vous a servi cette histoire et je m'assurerais que, cette fois, on me la raconte en entier. Quant à ce Jawahal qui, d'après votre mystérieux informateur, était en prison, je crois que c'est le genre de courant d'air que ni vous ni moi ne pourrons jamais rattraper.

Il examina les deux garçons. Ils étaient d'une pâleur de marbre. Le gros érudit leur adressa un sourire de commisération.

— Mes condoléances, murmura-t-il. Vous n'avez pas fureté dans le bon terrier…

Peu de temps après, Seth et Michael contemplaient le lever du jour assis sur les marches de la façade du musée indien. Une légère bruine avait imprégné les rues d'une couche brillante qui formait une plaque d'or liquide sous les rayons du soleil montant au milieu des brumes de l'est. Seth regarda son camarade et lui montra une pièce.

— Face, je vais voir Aryami et tu vas à la prison. Pile, c'est le contraire.

Michael acquiesça, les yeux mi-clos. Seth lança la pièce en l'air. Le disque de bronze décrivit une trajectoire en lançant des éclats intermittents pour finir par retomber dans sa main. Michael se pencha pour voir le résultat.

— Mon bon souvenir à Aryami, murmura Seth.

La lumière du jour finit par atteindre la demeure de l'ingénieur Chandra après une nuit qui semblait ne jamais devoir s'achever. Ian bénit pour la première fois de sa vie le soleil de Calcutta quand ses rayons se répandirent sur le manteau de ténèbres qui les avait enveloppés durant des heures.

Le jour emporta avec lui l'aspect menaçant de la maison. Ben et Sheere accueillirent eux aussi la venue de la clarté avec une expression sincère de soulagement et de fatigue. Ils avaient du mal à se rappeler la dernière fois qu'ils avaient dormi, quand bien même cela n'aurait remonté qu'à quelques heures. Malgré le poids du manque de sommeil et l'épuisement que la succession des événements leur avaient infligé, ils pouvaient maintenant affronter plus sereinement ce que, dans l'obscurité de la nuit, ils n'auraient pas osé considérer.

— Bien, dit Ben. Si une chose est claire, c'est que cette maison est sûre. Si notre ami Jawahal avait pu entrer ici, il l'aurait déjà fait. Notre père avait des goûts excentriques, mais il savait protéger son foyer. Je propose d'essayer de dormir un peu. Telles que les choses se présentent, je préfère dormir à la lumière du jour et être en forme pour la tombée de la nuit.

— Je ne peux qu'approuver, convint Ian. Mais où pourrions-nous dormir ?

— Il y a des chambres dans les tours, expliqua Sheere, nous avons l'embarras du choix.

— Je suggère de prendre des chambres voisines, ajouta Ben.

— D'accord, dit Ian. Et ça ne serait pas non plus de trop si on mangeait quelque chose.

— Pour ça, il faudra attendre. Nous sortirons plus tard chercher de quoi manger.

— Comment pouvez-vous avoir faim ? s'étonna Sheere.

Ben et Ian haussèrent les épaules.

— Physiologie élémentaire, répliqua Ben. Demande à Ian. C'est lui le médecin.

— Comme me l'a dit une fois une institutrice qui donnait des cours de lecture dans une école de Bombay, déclara Sheere, la principale différence entre un homme et une femme, c'est que l'homme fait toujours passer son ventre avant son cœur. La femme, c'est le contraire.

Ben soupesa cette théorie et n'hésita pas à contre-attaquer.

— Je citerai textuellement notre misogyne préféré, Mr Thomas Carter, célibataire de profession et par vocation : « La véritable différence, c'est que les hommes ont le ventre beaucoup plus gros que le cerveau et le cœur, et que les femmes ont le cœur si petit qu'il s'échappe toujours par leur bouche. »

Ian assistait à cet échange de citations illustres avec le plus total ahurissement.

— Philosophie de pacotille, déclara Sheere.

— C'est la seule philosophie qui tienne la route, ma chère.

Ian leva main pour demander une trêve.

— Bonne nuit à tous les deux, dit-il en prenant sans plus tarder le chemin de la tour.

Dix minutes plus tard, tous trois étaient plongés dans un profond sommeil dont personne n'aurait pu les réveiller. La fatigue avait été plus forte que la peur.

En quittant les marches du musée indien, Seth descendit Chowringhee Road vers le sud sur un demi-mile et tourna dans Park Street vers l'est en direction de la zone du Beniapukur, où les ruines de l'ancien pénitencier de Curzon Fort se dressaient près du cimetière écossais. Ce cimetière, aujourd'hui en mauvais état, avait été construit sur ce que l'on considérait autrefois comme les limites officielles de la ville. À cette époque, le taux élevé de mortalité et la rapidité avec laquelle les cadavres se décomposaient avaient obligé les autorités à transférer tous les espaces funéraires en dehors de Calcutta pour des raisons de santé publique. Ironie du sort, les Écossais, qui avaient pourtant contrôlé d'une main ferme durant des décennies l'activité commerciale de la ville, avaient découvert qu'ils ne pouvaient se payer un enterrement au milieu des tombes de leurs voisins britanniques et s'étaient vus forcés de construire leur propre cimetière. À Calcutta, les riches refusaient de céder leur terrain à plus pauvres qu'eux, même après leur mort.

En arrivant près de ce qui restait du pénitencier de Curzon Fort, Seth comprit pourquoi il n'avait pas encore été victime des impitoyables démolitions habituelles de la ville. L'édifice paraissait accroché à un fil invisible, prêt à s'écrouler sur les passants à la moindre tentative de modifier son équilibre. Ouvrant des brèches et mettant en pièces poutres et piliers avec une férocité peu fréquente, un incendie avait dévoré la prison comme s'il s'agissait d'une maquette en carton. On pouvait voir les toitures carbonisées à travers les fenêtres comme les gencives malades d'un vieil animal.

Seth s'approcha du seuil en se demandant comment il allait trouver quelque chose dans ce tas de briques et de madriers brûlés. Il était évident qu'il ne pouvait rester ici d'autre souvenir du passé que les barreaux de métal et les cellules qui s'étaient, en leur temps, transformés en foyers mortels et sans échappatoire.

— Tu viens visiter, mon garçon ? murmura une voix rauque dans son dos.

Seth se retourna et vit que la question sortait des lèvres d'un vieillard en haillons, dont les pieds et les mains portaient des plaies dans un état d'infection avancé. Ses yeux sombres l'observaient nerveusement dans un visage masqué par la crasse et une barbe grise et clairsemée que l'on eût crue taillée au couteau.

— C'est bien le pénitencier de Curzon Fort, monsieur ? demanda Seth.

Le mendiant écarquilla les yeux en entendant la manière insolite dont le garçon s'adressait à lui. Un sourire édenté se dessina sur ses lèvres parcheminées.

— Ce qu'il en reste. Tu cherches quelque chose, fiston ?

— Je cherche des informations, répondit Seth qui tenta de rendre la pareille au mendiant en lui adressant un sourire aimable et poli.

— Dans ce monde d'ignorants, tu es bien le seul à chercher des informations. Et qu'est-ce que tu veux savoir, mon garçon ?

— Vous connaissez cet endroit ?

— J'y vis. Autrefois il a été ma prison, aujourd'hui

il est ma maison. La providence a été généreuse avec moi.

— Vous avez été prisonnier à Curzon Fort ? demanda Seth sans cacher son étonnement.

— Il y a eu une époque où j'ai commis de grosses erreurs… et j'ai dû payer pour elles.

— Jusqu'à quand y avez-vous été détenu, monsieur ?

— Jusqu'à la fin.

— Vous étiez là, la nuit de l'incendie ?

Le mendiant écarta ses haillons. Seth, horrifié, découvrit la cicatrice pourpre d'une large brûlure qui lui couvrait le torse et le cou.

— Dans ce cas, vous pouvez peut-être m'aider. Deux de mes amis courent un grave danger. Est-ce que vous vous souvenez d'avoir connu un détenu du nom de Jawahal ?

Le mendiant ferma les yeux et fit lentement non de la tête.

— Ici, aucun de nous ne portait son véritable nom, fiston. Le nom, comme la liberté, c'était quelque chose que nous laissions à la porte en entrant. Nous pensions qu'en le tenant loin de l'horreur de ce lieu, nous pourrions peut-être le récupérer à la sortie, propre et sans souvenirs. Naturellement, ça ne se passait jamais comme ça…

— L'homme dont je parle a été condamné pour assassinat, précisa Seth. Il était jeune. C'est lui qui a provoqué l'incendie qui a détruit la prison, et il s'est évadé.

Le mendiant l'observa, mi-surpris, mi-amusé.

— Qui a provoqué l'incendie ! s'exclama-t-il, incré-

207

dule. L'incendie a pris dans les chaudières. C'est une valve d'huile qui a explosé. Je n'étais pas dans ma cellule, c'était mon jour de corvée. C'est ce qui m'a sauvé.

— Cet homme a préparé l'incendie, insista Seth. Et maintenant il veut tuer mes amis.

Le mendiant hocha la tête, sceptique, mais acquiesça.

— C'est possible, fiston, mais quelle importance aujourd'hui ? En tout cas, moi, je ne me ferais pas trop de souci pour tes amis. Cet homme, ton Jawahal, ne peut plus leur faire grand mal.

Seth fronça les sourcils, confondu.

— Pourquoi dites-vous ça, monsieur ?

Le mendiant rit.

— Fiston, la nuit de l'incendie, je n'avais même pas ton âge. J'étais le plus jeune de la prison. Cet homme, même s'il a existé, doit avoir aujourd'hui plus de cent ans.

Seth porta les mains à ses tempes, totalement perdu.

— Un moment ! C'est bien en 1916 que la prison a brûlé ?

— 1916 ? – Le mendiant rit de nouveau. – Fiston, d'où sors-tu ? Curzon Fort a brûlé le matin de 26 avril 1857. Ça fait exactement soixante-quinze ans.

Bouche bée, Seth dévisagea le mendiant, qui l'observait avec curiosité et une certaine considération pour la consternation qu'il exprimait.

— Comment t'appelles-tu, fiston ?

— Seth, monsieur.

— Je suis désolé ne pas avoir pu t'aider, Seth.

— Vous l'avez fait. Et moi, est-ce que je peux vous aider en quelque chose, monsieur ?

Les yeux du mendiant brillèrent au soleil et un sourire amer affleura sur ses lèvres.

— Est-ce que tu connais un moyen de remonter le temps, Seth ? demanda-t-il en regardant ses paumes.

Seth fit lentement non de la tête.

— Alors, tu ne peux pas m'aider. Retourne maintenant avec tes amis, Seth. Mais ne m'oublie jamais.

— Soyez-en sûr, monsieur.

Le mendiant sourit une dernière fois et, levant la main en signe d'adieu, il fit demi-tour et rentra dans les ruines de la prison détruite. Seth le vit disparaître dans l'ombre et reprit sa route sous le soleil ardent de la matinée. Un voile de nuage noir approchait en serpentant à l'horizon, telle une tache de sang se répandant lentement dans un bassin.

Michael s'arrêta au pied de la rue qui conduisait à la maison d'Aryami Bosé et contempla, interdit, les restes fumants de ce qui avait été la demeure de la vieille dame. Depuis la cour, les curieux observaient silencieusement la police en train de fouiller dans les décombres et d'interroger les voisins. Il s'approcha rapidement et s'ouvrit un chemin dans le cercle de badauds et d'habitants consternés par l'incendie. Un officier de la police lui barra le passage.

— Désolé, mon garçon. On ne passe pas, l'informa-t-il sur un ton qui n'admettait pas de réplique.

Michael regarda, par-dessus les épaules de l'homme,

deux de ses collègues soulever une poutre effondrée sur laquelle des petites flammes couraient encore.

— Et la femme qui vit ici? demanda-t-il.

Le policier lui adressa un regard à mi-chemin entre le soupçon et l'ennui.

— Tu la connaissais?

— C'est la grand-mère de mes amis. Où est-elle? Elle est morte?

L'officier l'observa pendant quelques secondes sans modifier son attitude. Finalement, il hocha la tête négativement.

— Il n'y a pas de trace d'elle. Un voisin prétend avoir vu quelqu'un descendre la rue en courant, peu après que les flammes eurent jailli du toit. Maintenant, fiche le camp. Je t'en ai déjà raconté plus que je ne devrais.

— Merci, monsieur, dit Michael en s'extrayant de la masse humaine qui se pressait, dans l'attente d'éventuelles découvertes macabres.

Une fois libéré de la foule des curieux et des voisins, Michael examina les maisons contiguës en quête de possibles indices susceptibles de lui suggérer où la vieille dame avait pu fuir, emportant avec elle le secret dont Seth et lui venaient tout juste de comprendre l'existence. Les deux extrémités de la rue se perdaient dans l'entassement de maisons, de bazars et de palais de la *ville noire*. Aryami Bosé pouvait être n'importe où.

Pendant quelques instants, le garçon considéra diverses possibilités, puis il décida d'aller vers l'ouest, en direction des rives du Hooghly. Là, des milliers de pèlerins entraient dans les eaux sacrées du delta du Gange pour obtenir la purification du ciel et n'y gagner, la plupart du temps, que des fièvres et des maladies.

Sans se retourner vers les ruines de la maison dévorée par les flammes, Michael marcha en plein soleil, se faufilant dans la foule qui peuplait les rues et les submergeait dans un brouhaha d'appels de marchands, de discussions agitées et de prières que personne n'écoutait. La voix de Calcutta. Derrière lui, à une vingtaine de mètres, une forme enveloppée dans une cape noire sortit des méandres d'une ruelle et lui emboîta le pas dans la multitude.

Ian ouvrit les yeux dans la lumière de midi avec la claire certitude que son insomnie chronique n'était pas prête à lui concéder davantage que ces quelques heures de répit pour répondre à la fatigue éprouvée après les derniers événements. À en juger par la consistance de la lumière qui baignait la chambre de la tour ouest de la maison de l'ingénieur Chandra, il calcula qu'on devait croiser le méridien de la mi-journée. L'appétit tenace qui l'avait assailli à l'aube revint se manifester impitoyablement et le fit grincer des dents. Comme plaisantait parfois Ben en parodiant les propos du maître Tagore, dont le château se trouvait à peu de mètres de là, quand le ventre parle, l'homme sage écoute.

Il sortit silencieusement de la chambre et vérifia que Sheere et Ben continuaient de jouir d'un enviable repos dans les bras de Morphée. Il soupçonnait qu'à leur réveil, même Sheere ne serait pas mécontente de régler son compte à la première denrée comestible qu'elle trouverait à portée de main. En ce qui concernait Ben, aucun doute n'était permis. En ce moment, son ami devait rêver d'un plateau couvert de délices culinaires et d'un somptueux gâteau de Chhana, ainsi que du mélange de jus de citron vert et de lait brûlant dont les gosiers bengalis étaient fous.

Conscient que le sommeil avait déjà été plus charitable avec lui qu'il ne l'espérait, Ian décida de s'aventurer au-dehors, à la recherche de provisions capables de satisfaire son appétit et celui de ses compagnons. Il songea qu'avec un peu de chance il serait de retour avant même qu'ils aient eu tous les deux le temps de bâiller.

Il traversa la salle de la grande maquette et se dirigea vers l'escalier en spirale, constatant avec satisfaction qu'à la lumière du jour la maison était considérablement moins inquiétante. Le rez-de-chaussée n'avait pas changé et les murs l'isolaient de la température extérieure avec une prodigieuse efficacité. Il n'avait pas de mal à imaginer la chaleur suffocante qui devait imposer sa loi au-dehors, pourtant, on avait l'impression que la demeure de l'ingénieur se trouvait au pays de l'éternel printemps. Il traversa sur la mosaïque plusieurs galaxies d'un pas léger et ouvrit la porte, sûr de ne pas oublier la combinaison de la serrure originale qui scellait le sanctuaire privé de Chandra Chatterghee.

Le soleil frappait impitoyablement l'épais jardin, et le petit lac qui, dans la nuit, lui était apparu comme une plaque d'ébène poli renvoyait à présent un éclat intense sur la façade de la maison. Il se dirigea vers la sortie du tunnel secret sous le pont de bois et, un moment, se laissa bercer par l'illusion que, à la lumière d'une journée resplendissante et brûlante comme celle-là, les menaces qui l'avaient tourmenté pendant la nuit pouvaient s'évanouir avec la même facilité qu'une statue de glace dans le désert.

Profitant de cette parenthèse de tranquillité, il s'introduisit dans le passage et, avant que l'âcre puanteur qui y régnait n'envahisse ses poumons, il ressortit par la brèche menant à la rue. Une fois là, il lança mentalement une pièce en l'air et décida d'entreprendre ses recherches alimentaires côté ouest.

Pendant qu'il s'éloignait en chantonnant dans la rue déserte, il ne pouvait guère imaginer que les quatre cercles concentriques de la serrure avaient recommencé à tourner avec une lenteur infinie. Cette fois, le mot de quatre lettres destinées à s'arrêter à la verticale n'était plus le nom de Didon, mais celui d'une autre déesse, beaucoup plus proche : Kali.

Ben crut entendre en rêve un grand fracas et se réveilla dans l'obscurité totale de la chambre où il avait dormi. Sa première impression, dans les secondes d'hébétude qui suivent un réveil en sursaut, fut la perplexité en constatant que la nuit était tombée. Ils devaient avoir dormi plus de douze heures. Un instant plus tard, en entendant de nouveau le choc violent qu'il croyait avoir rêvé, il comprit que ce n'était pas la nuit qui empêchait la lumière d'entrer dans la chambre. Quelque chose était en train de se passer dans la maison. Les volets se fermaient avec force, hermétiquement, comme les vannes d'une écluse. Il sauta du lit et courut à la porte, à la recherche de ses amis.

— Ben ! entendit-il Sheere crier.

Il ouvrit la porte de la chambre de sa sœur et la découvrit de l'autre côté, immobile, tremblante. Il la prit dans ses bras et la sortit de la pièce, atterré, tandis que les volets se fermaient les uns après les autres telles des paupières de pierre.

— Ben, gémit Sheere. Quelque chose est entré dans ma chambre pendant que je dormais et m'a touchée.

Ben sentit un frisson lui parcourir le corps et conduisit Sheere jusqu'au centre de la salle de la grande maquette. En une seconde, l'obscurité totale les entoura. Il garda Sheere serrée dans ses bras et lui chuchota de rester silencieuse pendant qu'il tentait de percevoir un mouvement quelconque dans le noir. Ses yeux ne parvinrent pas à distinguer la moindre forme, néanmoins tous deux purent entendre la rumeur qui envahissait les pièces et faisait penser à des centaines de petits animaux courant sous le sol et entre les murs.

— Qu'est-ce que c'est, Ben ?

Son frère essayait de trouver une réponse, quand un nouvel événement vint lui ôter la parole. Les lumières de la maquette de la ville s'étaient lentement allumées, et les deux jeunes gens assistèrent à la naissance d'une Calcutta nocturne. Ben avala sa salive et

Sheere se cramponna étroitement à lui. Au milieu de la maquette, le petit train alluma ses feux, et ses roues commencèrent à tourner.

— Sortons d'ici, murmura Ben en conduisant à tâtons sa sœur vers l'escalier qui menait au rez-de-chaussée. Tout de suite.

Avant qu'ils aient pu faire quelques pas, un cercle de feu ouvrit un orifice dans la porte de la chambre qu'avait occupée le jeune fille. En moins d'une seconde, il la consumait comme une braise qui traverserait une feuille de papier. Sentant que ses pieds se rivaient au sol, Ben aperçut des empreintes de pas enflammées qui s'approchaient, provenant du seuil de la chambre.

— Cours en bas ! cria-t-il en poussant sa sœur vers l'escalier. Cours !

Prise de panique, Sheere se précipita dans l'escalier. Ben demeura immobile sur la trajectoire de ces marques flamboyantes qui avançaient vers lui à toute vitesse. Une bouffée d'air chaud imprégné d'une odeur de kérosène brûlé le frappa au visage, en même temps qu'une empreinte enflammée s'arrêtait à un pas de ses pieds. Deux pupilles rouges comme du fer incandescent s'allumèrent dans l'obscurité. Des griffes de feu enserrèrent son bras droit. Cette tenaille pulvérisa le tissu de sa chemise et lui brûla la peau.

— L'heure de notre rencontre n'est pas encore venue, murmura une voix métallique et caverneuse devant lui. Écarte-toi.

Avant qu'il n'ait pu réagir, la main de fer le projeta violemment sur le côté et l'expédia au sol. Il tomba sur le flanc et tâta son bras blessé. Il parvint alors à voir un spectre de feu qui descendait l'escalier en spirale en le détruisant sous ses pas.

Les hurlements de terreur de Sheere au rez-de-chaussée lui rendirent assez de forces pour se relever. Il courut vers l'escalier. Celui-ci n'était plus qu'un squelette de barres de métal enveloppées de flammes et les marches avaient disparu. Ben se jeta dans le trou béant. Son corps atterrit sur la mosaïque du rez-de-chaussée et la douleur de son bras lacéré par le feu se fit insupportable.

— Ben ! cria Sheere. Je t'en supplie !

Le garçon leva les yeux. Sheere, enveloppée dans un voile de flammes translucides comme la chrysalide d'un papillon sorti de l'enfer, était entraînée sur le sol d'étoiles brillantes. Il se releva et courut vers elle, en suivant la trace laissée par son ravisseur, qui se dirigeait vers la porte de derrière, et en tentant d'esquiver la chute démente des centaines de livres de la bibliothèque circulaire, qui dégringolaient en flammes des rayons et se décomposaient en une pluie de pages en pleine combustion. Quelque chose le frappa. Il tomba de tout son long, et sa tête alla cogner contre le sol.

Sa vision se voila lentement pendant qu'il apercevait le visiteur de feu qui s'arrêtait et se retournait pour le regarder. Sheere hurlait de peur, mais ses cris n'étaient déjà plus audibles. Luttant pour ne pas céder à l'évanouissement et ne pas abandonner toute résistance, Ben se déplaça de quelques centimètres sur le sol jonché de braises. Un sourire cruel, comme celui d'un loup, se dessina devant lui. Dans la masse confuse que devenait son champ de vision, où tout se diluait comme une aquarelle encore humide, il reconnut l'homme qu'il avait vu dans la locomotive du train fantôme qui traversait la nuit. Jawahal.

— Quand tu seras prêt, viens à moi, lui murmura l'esprit de feu. Tu sais où me trouver...

Un instant plus tard, Jawahal ressaisit Sheere et traversa avec elle le mur de derrière de la maison comme s'il s'agissait d'un rideau de fumée. Avant de perdre connaissance, Ben entendit l'écho du train qui s'éloignait.

— Il revient à lui, murmura une voix à des centaines de kilomètres.

Ben essaya de distinguer les taches imprécises qui s'agitaient devant lui et reconnut bientôt quelques traits familiers. Des mains le saisirent doucement et glissèrent un objet confortable sous sa tête. Le garçon battit des paupières. Les yeux de Ian, rougis et désespérés, l'observaient avec anxiété. Près de lui se tenaient Seth et Roshan.

— Ben, tu nous entends ? demanda Seth, dont le visage suggérait qu'il n'avait pas dormi depuis une semaine.

Soudain, Ben se souvint et voulut se lever brusquement. Les mains des trois garçons le rendirent à sa position allongée.

— Où est Sheere ? parvint-il à articuler.

Ian, Seth et Roshan échangèrent un regard sombre.

— Elle n'est pas là, Ben, répondit finalement Ian.

Ben sentit que le ciel se détachait par morceaux pour s'écrouler sur lui et ferma les yeux.

— Que s'est-il passé ? demanda-t-il ensuite, plus calme.

— Je me suis réveillé avant vous, expliqua Ian, et j'ai décidé de sortir chercher quelque chose à manger. En chemin, j'ai rencontré Seth qui se rendait à la maison. Au retour, nous avons vu que tous les volets étaient fermés et que de la fumée sortait de l'intérieur. Nous avons couru et nous t'avons trouvé évanoui. Sheere n'était pas là.

— Jawahal l'a enlevée.

Une expression indéchiffrable s'inscrivit sur les visages de Ian et de Seth.

— Que se passe-t-il ? Qu'est-ce que vous avez découvert ? s'exclama Ben.

Seth porta les mains à son épaisse tignasse et l'écarta de son front. Ses yeux le trahissaient.

— Je ne suis pas sûr que ce Jawahal existe, Ben, déclara le robuste garçon. Je crois qu'Aryami nous a menti.

— De quoi parlez-vous ? s'exclama Ben. Pourquoi nous aurait-elle menti ?

Seth résuma leurs recherches au musée avec Mr De Rozio et expliqua qu'il n'existait aucune mention de Jawahal dans tout le dossier du procès, à part une lettre personnelle adressée à l'ingénieur par le colonel Llewelyn, qui avait enterré l'affaire pour d'obscures raisons. Ben écouta ces révélations, incrédule.

— Ça ne prouve rien, objecta-t-il. Jawahal a été

condamné et emprisonné. Il s'est enfui il y a seize ans et, à partir de ce moment, ses crimes ont commencé.

Seth soupira, en hochant la tête négativement.

— Je suis allé à la prison de Curzon Fort, Ben. Aucune évasion ni aucun incendie n'ont eu lieu il y a seize ans. Le pénitencier a brûlé en 1857. Jawahal n'a jamais pu y être incarcéré, comme il n'a pu s'évader d'une prison qui n'existait déjà plus des décennies avant son procès. Un procès qui ne figure nulle part. Rien ne colle.

Ben le dévisagea, interloqué.

— Elle nous a menti, Ben. Ta grand-mère nous a menti.

— Où est-elle en ce moment ?

— Michael la cherche, précisa Ian. Dès qu'il la trouvera, il l'amènera ici.

— Et où sont les autres ? voulut encore savoir Ben.

Roshan regarda Ian d'un air indécis. Celui-ci acquiesça gravement.

— Dis-le, toi, demanda-t-il.

Michael s'arrêta pour contempler la brume crépusculaire qui couvrait la rive ouest du Hooghly. Des dizaines de silhouettes partiellement enveloppées dans des voiles blancs et usés se baignaient dans les eaux du fleuve, et le concert de leurs voix se perdait dans le bruissement du courant. Les battements d'ailes des pigeons qui s'élevaient dans le vent au-dessus de la jungle de palais et de coupoles décolorées et alignées face au ruban lumineux du Hooghly évoquaient une Venise des ténèbres.

— Est-ce que c'est toi, le garçon qui me cherche ? lança une vieille accroupie à quelques mètres de lui, le visage masqué par un voile.

Elle souleva son voile. Les yeux tristes et profonds d'Aryami pâlirent dans le crépuscule.

— Il faut nous hâter, madame, dit Michael. Nous n'avons plus beaucoup de temps.

Aryami acquiesça et se releva lentement. Michael lui offrit son bras et ils partirent en direction de la maison de l'ingénieur Chandra Chatterghee dans les derniers rayons du soleil couchant.

En silence, les cinq garçons firent cercle autour d'Aryami Bosé. Ils attendirent patiemment qu'elle soit confortablement installée pour pouvoir solder la dette qu'elle avait contractée envers eux en leur cachant la vérité. Aucun n'osa prononcer un mot avant elle. L'urgence angoissante qui les consumait intérieurement se transforma pour un moment en un calme où la tension était perceptible, avec la crainte que le secret si jalousement gardé par la vieille dame ne les place devant un défi insurmontable.

Aryami observa leurs visages avec une profonde tristesse et esquissa un début de sourire qui affleura à peine sur ses lèvres. Enfin, baissant les yeux, elle poussa un faible soupir et, fixant les paumes de ses mains petites et nerveuses, elle parla. Cette fois, cependant, sa voix leur parut dépourvue de l'autorité et de la détermination qu'ils avaient appris à attendre d'elle. Au bout du chemin, la peur avait effacé la force d'âme qui émanait de sa personne, et ils comprirent que celle qui leur parlait n'était plus qu'une vieille femme faible et mortellement effrayée, une petite fille qui avait vécu trop longtemps.

— Avant de commencer, permettez-moi de vous dire que, s'il m'est arrivé dans ma vie de mentir – je m'y suis vue obligée en de nombreuses occasions –, c'était toujours pour protéger quelqu'un. Et si, cette fois, je vous ai menti, c'était avec la certitude que, ce faisant, je vous protégerais, toi, Ben, et Sheere, ta sœur, de quelque chose qui pourrait vous faire peut-être encore plus de mal que les stratagèmes d'un criminel devenu fou. Personne ne peut imaginer combien j'ai souffert d'avoir à porter ce poids en solitaire depuis votre naissance. Tout ce que je vais vous dire maintenant sera la vérité, ou du moins tout ce que j'en connais. Écoutez-moi bien, et acceptez cette fois pour véridique ce qui sortira de mes lèvres, même si rien n'est plus terrible et difficile à croire que la réalité pure et nue des faits…

» J'ai l'impression que des années se sont déjà écoulées depuis que je vous ai raconté l'histoire de ma fille Kylian. Je vous ai parlé d'elle, de sa luminosité merveilleuse et de la manière dont, parmi tous ceux qui lui faisaient la cour, elle a choisi pour mari un homme d'origine simple et de grand talent, un jeune ingénieur plein de promesses. Hélas, il portait depuis son enfance une lourde charge sur les épaules, un secret qui devait le mener à la mort en même temps que beaucoup d'autres. Et même si cela paraît paradoxal, permettez que, pour une fois, je commence mon récit par la fin, pour apporter une réponse aux faits que vous avez mis tant d'intelligence à découvrir.

» Chandra Chatterghee a toujours été un rêveur, un homme possédé par la vision d'un avenir meilleur et plus juste pour les siens, qu'il voyait mourir de misère dans les rues de cette ville. Pendant ce temps, derrière les murs de leurs opulentes demeures, ceux qu'il considérait comme des envahisseurs et des exploiteurs du patrimoine naturel de notre peuple s'enrichissaient et menaient une vie de luxe et de frivolité, payée par la misère de millions d'âmes condamnées à la pauvreté dans l'immense orphelinat sans toit qu'est ce pays.

» Son rêve était de doter d'un instrument de progrès et de richesse la nation dont il a toujours cru qu'elle parviendrait à briser le joug de l'oppression. Un instrument ouvrant de nouvelles routes entre les villes, de nouvelles enclaves et de nouvelles voies vers l'avenir pour les familles de l'Inde. Il a toujours rêvé de cette invention d'acier et de feu : le chemin de fer. Pour Chandra, les rails étaient les artères qui devaient charrier le sang neuf du progrès sur toute cette terre. C'est pour elles qu'il a projeté un cœur d'où partirait cette énergie : son œuvre majeure, la gare de Jheeter's Gate.

» Mais la ligne qui sépare les rêves des cauchemars a la minceur d'un fil et, très vite, les ombres du passé sont revenues réclamer leur prix. Un haut personnage de l'armée britannique, le colonel Llewelyn, avait fait carrière avec la rapidité d'un météore en édifiant celle-ci sur ses exploits et ses massacres d'innocents, vieillards et enfants, hommes désarmés et femmes terrorisées, dans des villages et des agglomérations de toute la péninsule du Bengale. Là où arrivait le message de paix et d'union de l'Inde nouvelle, accouraient ses fusils et ses baïonnettes. Un homme de grand talent et de grand avenir, comme le proclamaient fièrement ses supérieurs. Un assassin, avec à sa disposition le drapeau de la couronne et le pouvoir de son armée. Un parmi tant d'autres.

» Llewelyn n'a pas tardé à repérer les dons de Chandra, et il n'a pas rencontré trop de difficultés pour tracer autour de lui un cercle noir, bloquant tous ses projets. Au bout de quelques semaines, plus une porte de Calcutta ou de la province ne restait ouverte à l'ingénieur. Sauf, bien évidemment, celle de Llewelyn. Celui-ci lui a proposé des travaux pour l'armée, ponts, lignes de chemin de fer… Toutes ces offres ont été refusées par ton père, qui préférait vivre des misérables revenus que les éditeurs de Bombay daignaient lui verser comme une aumône en échange de ses manuscrits. Avec le temps, le cercle de Llewelyn s'est relâché, et Chandra a pu de nouveau travailler à son œuvre majeure.

» Les années passant, cependant, Llewelyn a recouvré sa rage première. Sa carrière était en danger et il avait un besoin urgent de frapper un grand coup, de provoquer un bain de sang frais qui réveillerait l'intérêt

de sa hiérarchie de Londres pour ses exploits et réta-
blirait sa réputation de panthère du Bengale. Sa solution était claire : faire pression sur Chandra, mais cette
fois avec d'autres armes.

» Durant des années, il avait enquêté. Ses sbires
avaient fini par flairer la piste des crimes que l'on associait au nom de Jawahal. Llewelyn a fait en sorte que
l'affaire risque de devenir publique et, au moment où
ton père était plus engagé que jamais dans son projet
de Jheeter's Gate, il est intervenu. Il a bloqué l'instruction et a menacé Chandra de révéler la vérité s'il ne
créait pas pour lui une arme nouvelle, un instrument
de répression porteur de mort et capable de mettre
fin aux troubles que pacifistes et indépendantistes
semaient sur le chemin du colonel. Chandra a dû
céder, et ce fut la naissance de l'Oiseau de Feu, une
machine qui pouvait transformer en quelques secondes
une ville ou une agglomération en un océan de
flammes.

» Chandra a développé parallèlement les projets
du chemin de fer et de l'Oiseau de Feu, sous la pression constante de Llewelyn, dont la cupidité, alliée à
la méfiance croissante avec laquelle le considéraient
ses supérieurs, se manifestait avec de moins en moins
de retenue. Celui que, dans le passé, l'on avait tenu
pour un homme de devoir, calme et posé, se conduisait désormais comme un maniaque maladif dont, de
jour en jour, le besoin de succès et de reconnaissance
compromettait davantage la carrière.

» Chandra avait compris que la chute de Llewelyn
était une simple question de temps, et il a voulu le

berner. Il lui a fait croire qu'il lui livrerait le projet avant la date prévue. Mais cela n'a fait qu'exacerber l'impatience de Llewelyn et a pulvérisé le peu de bon sens qu'il conservait encore.

» En 1915, un an avant l'inauguration de Jheeter's Gate et de la ligne qui en partait, Llewelyn a ordonné un massacre de civils désarmés, sans justification possible. Il a été chassé de l'armée britannique après ce scandale, qui est arrivé jusqu'aux oreilles de la Chambre des Communes. Son étoile était définitivement éteinte.

» Ce fut le début de sa folie. Il a rassemblé une bande d'officiers fidèles qui, comme lui, avaient été déchus de leur grade et contraints d'abandonner les armes. Avec cette bande de tueurs, il a organisé un sinistre groupe paramilitaire qui opérait clandestinement. Tous portaient leurs vieux uniformes et leurs décorations de façon grotesque et se réunissaient dans l'ancienne résidence de Llewelyn en maintenant la fiction qu'ils formaient une unité secrète d'élite et que le jour était proche où ceux qui les avaient privés de leur rang seraient à leur tour exclus de l'armée.

» Bientôt, ton père a reçu des menaces de mort pour lui et sa femme enceinte s'il ne livrait pas l'Oiseau de Feu. S'agissant d'une opération clandestine, Chandra devait la mener avec d'extrêmes précautions. S'il demandait l'aide de l'armée, son passé sortirait au grand jour. Il ne lui restait pas d'autre solution que de composer avec Llewelyn et ses hommes.

» Dans ce climat de tension, deux jours avant la date prévue pour l'inauguration de la gare – et pas après celle-ci, comme je vous l'avais dit –, Kylian a mis au monde des jumeaux. Un garçon et une fille. Ta sœur Sheere et toi, Ben.

» Pour la soirée d'inauguration de Jheeter's Gate, on avait projeté d'organiser un voyage symbolique. Le premier train reliant Calcutta à Bombay transporterait trois cent soixante enfants sans famille, un pour chaque jour de l'année indienne, à destination des orphelinats de cette ville. Chandra a proposé à Llewelyn et à ses hommes la chose suivante : il chargerait l'Oiseau de Feu à bord du train, puis il simulerait un arrêt technique à cinquante kilomètres du point de départ, à la hauteur de Bishnupur, durant lequel les militaires pourraient s'en emparer. Chandra projetait de rendre l'engin inutilisable et de se débarrasser de Llewelyn et de ses hommes avant le premier coup de sifflet du train. Malheureusement, Llewelyn, secrètement, se méfiait de cet accord et a ordonné à ses hommes de prendre les devants.

» Ton père avait convoqué les militaires dans la gare, un véritable labyrinthe qu'il était seul à connaître et, sous prétexte de leur montrer l'Oiseau de Feu, il les a fait entrer dans les tunnels. Llewelyn, qui avait soupçonné quelque chose de ce genre, avait pris de son côté ses précautions : avant de se rendre au rendez-vous avec l'ingénieur, il a fait enlever votre mère, et vous avec elle. Au moment où Chandra s'apprêtait à anéantir ceux qui le faisaient chanter, Llewelyn lui a révélé que vous étiez tous les trois en son pouvoir. Il a menacé de vous tuer si votre père ne lui livrait pas sur-le-champ l'Oiseau de Feu. Chandra n'a eu d'autre choix que de capituler. Mais ça n'a pas suffi à Llewelyn.

Il a fait enchaîner Chandra à la locomotive pour qu'il se fasse déchiqueter au moment du départ et, là, sous ses yeux, il a enfoncé froidement un couteau dans la gorge de Kylian. Puis il l'a laissée saigner lentement en la pendant à une corde sous la voûte centrale de la gare. Pendant qu'il faisait cela, il lui a juré de vous abandonner dans les tunnels pour que vous soyez dévorés par les rats.

» Après avoir laissé Chandra enchaîné à la locomotive, il a donné l'ordre à ses hommes de mettre le train en marche et de s'emparer de l'Oiseau de Feu. Entre-temps, il irait vous cacher dans les tunnels, où personne ne pourrait vous retrouver. Mais il s'est passé quelque chose qu'il n'avait pas prévu. Surestimant son intelligence, cet imbécile de Llewelyn avait supposé que Chandra Chatterghee remettrait entre les mains d'un assassin de son acabit, sans prendre la moindre précaution, un engin doté de la puissance de destruction de l'Oiseau de Feu. Chandra avait tout préparé dans le moindre détail : il avait adjoint à l'Oiseau de Feu un mécanisme secret d'horlogerie connu de lui seul. Un mécanisme qui libérerait le pouvoir destructeur de l'engin sur lui-même, et sur lui seul, dans les secondes qui suivraient toute tentative de l'actionner venue d'une autre main que la sienne.

» Après avoir pris place dans le train avec sa cohorte de tueurs, Llewelyn a décidé que, en manière d'adieu et de prélude à la vengeance qu'il comptait exercer sur la ville une fois qu'il aurait en main les clefs de cette invention mortelle, il laisserait le feu détruire l'œuvre de Chandra et exterminer tous ceux qui

227

s'étaient rassemblés pour l'inauguration de ce prodige. Et c'est ainsi que, au moment où Llewelyn a allumé l'Oiseau de Feu, il a signé l'arrêt de mort de tous les passagers du train, y compris le sien. Cinq minutes plus tard, l'enfer dévorait la gare et emportait avec lui les corps et les âmes des innocents et des coupables, sans distinction.

» Vous me demanderez où sont les réponses et pourquoi je vous ai menti à propos de la prison où a été détenu Jawahal, ou pourquoi son nom n'est mentionné nulle part. Avant de poursuivre – et c'est là le plus important de tout ce que je vais vous dire –, je veux que vous compreniez que, quoi que vous entendiez, Chandra a été un grand homme. Un homme qui a aimé sa femme et qui aurait aimé ses enfants si on lui en avait laissé la chance, une chance qu'il n'a jamais eue. Maintenant que je vous ai dit cela, voici la vérité.

» Lorsque votre père était jeune et qu'il est tombé malade des fièvres, il n'a pas échoué dans une cabane au bord du fleuve où un garçon l'a soigné jusqu'à sa guérison, comme je vous l'ai raconté la première fois. Votre père a été élevé dans une institution qui existe toujours au sud de Calcutta et qui s'appelle Grant House. Vous êtes trop jeunes pour avoir entendu ce nom, mais il fut un temps où il était tristement célèbre. Grant House est le lieu où est arrivé votre père après avoir assisté à un terrible événement quand il avait à peine six ans. Sa mère, une femme malade qui vivait en vendant son corps pour quelques misérables roupies, s'est offerte en sacrifice à la déesse Kali en s'immolant par le feu sous ses yeux. Grant House, le foyer où a grandi Chandra, était une maison de santé, ce que vous appelleriez un asile de fous…

» Pendant des années, il est resté confiné dans les galeries de ce lieu, sans autres parents ni amis que des gens qui vivaient dans le délire et la souffrance. Des gens qui croyaient être des démons, des dieux ou des anges pour oublier leur nom le lendemain. Lorsque, comme vous aujourd'hui, il a atteint l'âge d'en sortir, Chandra n'avait pas eu d'autre enfance que l'horreur et la plus profonde misère que les yeux d'un homme ont jamais pu contempler dans la ville de Calcutta.

» Est-il encore nécessaire de vous préciser que cet ami sinistre et criminel n'a jamais existé, et qu'il n'y a jamais eu d'autre ombre dans la vie de votre père que ce parasite qui s'était infiltré dans son esprit ? C'est de ses propres mains qu'il a commis ces crimes. Le remords le poursuivait et la vengeance pesait sur lui comme une malédiction.

» Seules la bonté et la lumière qui rayonnaient de Kylian ont pu le guérir et lui permettre de reprendre son destin en main. C'est auprès d'elle qu'il a écrit les livres que vous connaissez, qu'il a projeté les œuvres qui l'ont rendu immortel et qu'il a chassé le spectre de sa double vie. Malheureusement, la cupidité des hommes ne lui a pas laissé une chance. Et au lieu de connaître une existence heureuse et prospère, il a été de nouveau précipité dans les ténèbres. Cette fois, pour toujours.

» La nuit où Lahawaj Chandra Chatterghee a vu assassiner sa femme sous ses yeux, les années de son enfance sont revenues se jeter sur lui comme des chiens à la curée et l'ont catapulté dans l'enfer d'où il était sorti. Il avait construit toute une vie sur ce socle qu'il voyait s'écrouler devant lui. Et tandis que les flammes le dévoraient, il est mort avec la conviction qu'il était le seul coupable de cette tragédie et qu'il méritait d'être châtié.

» Pour cette raison, quand Llewelyn a déclenché l'Oiseau de Feu et que les flammes ont envahi les tunnels et la gare, une ombre obscure dans l'âme de Chandra a juré de revenir de la mort. Revenir comme un ange de feu. Un ange destructeur et porteur de vengeance. Un ange qui incarnerait la face obscure de sa personnalité. Vous ne poursuivez pas un assassin. Ni un homme. Vous poursuivez un spectre. Un esprit. Ou, si vous préférez, un démon.

» Votre père a toujours été un fervent des dispositifs secrets. Vous m'avez parlé d'un dessin que votre ami Michael a fait de vous, où vos visages se reflètent dans le bassin. Leur image sur la surface de l'eau est inversée. Il semble que le crayon de Michael ait été prophétique. Si vous écrivez le prénom que sa mère lui a donné à sa naissance, Lahawaj, le reflet de celui-ci dans le bassin vous en renverra un autre : Jawahal.

» L'esprit tourmenté de Jawahal vit, depuis ce jour, uni à la machine infernale qu'il a lui-même créée et qui, à l'heure de la mort, lui a donné une vie éternelle comme un spectre dans l'obscurité. Lui et l'Oiseau de Feu ne font qu'un. Telle est sa malédiction : l'union d'un esprit enragé et d'une machine de destruction. Une âme de feu enfermée à l'intérieur des chaudières de ce train en flammes. Et, maintenant, cette âme est en quête d'un nouveau foyer.

» C'est pour cela qu'il vous cherche : parce que vous arrivez à l'âge adulte. L'esprit de Jawahal a besoin d'un de ses enfants pour continuer à vivre, pour habiter son corps et étendre ainsi son pouvoir jusqu'au monde des vivants. Un seul de vous deux peut survivre. L'autre, celui dont l'âme ne peut contenir l'esprit de Jawahal, doit mourir pour qu'il puisse continuer à exister. Cela fait seize ans qu'il a juré qu'il s'emparerait de vous. Et il a toujours tenu ses promesses. Quand il était en vie, et après. Soyez conscients que, pendant que je vous dévoile ces faits, Jawahal a déjà choisi l'un de ses deux enfants pour héberger son âme maudite. Lui seul sait lequel.

» La providence a voulu vous laisser une chance : il y a seize ans, le lieutenant Peake s'est introduit dans le labyrinthe des tunnels de Jheeter's Gate et a découvert le corps sans vie de Kylian pendant dans le vide au-dessus de la mare formée par son sang. Vos pleurs sont parvenus à ses oreilles. Ravalant sa douleur, il vous a cherchés et arrachés à l'esprit de votre père. Mais il n'a pas pu aller loin. Ses pas l'ont conduit jusqu'à ma porte, il vous a remis à moi et a repris sa fuite.

» Ben, quand, un jour, tu devras raconter cette histoire à ta sœur Sheere, n'oublie jamais, non, jamais, que l'esprit de vengeance qui est revenu des flammes de Jheeter's Gate cette nuit-là et qui a tué le lieutenant Peake au moment où il tentait de vous sauver tous les deux n'était pas ton père. Ton père est mort dans l'incendie, avec les âmes innocentes des orphelins. Celui qui est revenu de l'enfer pour se détruire lui-même, pour détruire les fruits de son mariage et son œuvre n'a été qu'un spectre. Un esprit consumé par le diable de la vengeance, de la haine et de l'horreur que les hommes ont semées dans son cœur. Telle est la vérité, et rien ni personne ne pourra la changer.

« Qu'il y ait un seul Dieu ou qu'ils soient des centaines, puissent-ils me pardonner le mal que j'ai pu vous infliger en vous racontant les faits tels qu'ils se sont réellement produits… »

*Q*ue dire ? Quels mots pourraient exprimer la tristesse que j'ai lue en ce soir de mai dans les yeux de Ben, mon meilleur ami ? La quête du passé nous avait infligé une cruelle leçon en nous révélant la vie comme un livre dont il était préférable de ne pas relire les pages précédentes ; un chemin où, quelle que soit la direction que nous prendrions, nous ne pourrions jamais choisir notre destination. J'ai regretté alors de ne pas avoir déjà pris ce bateau qui devait m'emmener très loin de là et qui appareillait le lendemain. Je sentais la lâcheté se mêler à la douleur que j'éprouvais pour mon ami et au goût amer de la vérité.

Nous avions tous écouté en silence le récit d'Aryami. Aucun de nous n'a osé formuler une seule question, alors même que des centaines se bousculaient dans nos esprits. Nous savions que toutes les lignes de notre destin confluaient enfin sur un lieu, un rendez-vous inéluctable qui nous attendait à la tombée de la nuit dans les ténèbres de Jheeter's Gate.

Quand nous sommes sortis à l'air libre, les dernières lueurs du jour s'éteignaient, ruban écarlate tendu sur le bleu profond des nuages du Bengale. Une fine bruine imprégnait nos

visages tandis que nous empruntions cette voie ferrée abandonnée qui partait de l'arrière-cour de la maison de Lahawaj
Chandra Chatterghee pour rejoindre la grande gare, sur
l'autre rive du Hooghly, en traversant l'ouest de la ville
noire.

Je me souviens que, peu avant de passer sur le pont métallique qui franchissait le fleuve pour mener tout droit dans la
gueule de Jheeter's Gate, Ben nous a fait promettre, les larmes
aux yeux, de ne jamais, en aucune circonstance, répéter ce
que nous avions entendu ce soir-là. Il a juré que si l'un
d'entre nous révélait à Sheere la vérité sur son père, sur ce
mirage dont toute sa vie s'était nourrie depuis son enfance, il
le tuerait de ses propres mains. Tous, nous sommes engagés à
garder le secret.

Il ne restait plus qu'une pièce pour compléter notre histoire : la guerre…

Le nom de minuit

Calcutta, 29 mai 1932

L'ombre de la tempête précéda l'arrivée de minuit et tendit lentement sur Calcutta son large manteau de plomb qui s'éclairait tel un suaire ensanglanté à chaque éclat de la furie électrique qu'il abritait. Le grondement de la tourmente qui approchait dessinait dans le ciel une immense araignée de lumière qui semblait tisser sa toile sur toute la ville. En même temps, le violent vent du Nord balayait le brouillard sur le fleuve et dénudait dans la nuit noire le squelette dévasté du pont métallique.

La silhouette de Jheeter's Gate se dressa dans la brume effilochée. Un éclair tomba du ciel sur la flèche surmontant la coupole de la voûte centrale et se scinda. Les ramifications, évoquant un lierre de lumière bleue, parcoururent le réseau d'arcs et de poutrelles d'acier jusqu'aux fondations.

Les cinq garçons s'arrêtèrent devant le pont. Seuls Ben et Roshan avancèrent de quelques pas en direc-

tion de la gare. Les rails dessinaient un chemin recti-
ligne bordé de deux rubans argentés qui s'enfonçaient
tout droit dans la gueule de la gare. La lune disparut
derrière la couche de nuages, et la ville parut ne plus
être éclairée que par une lointaine lueur bleue.

Ben examina avec précaution le tracé du pont, à la
recherche de fissures ou de failles qui auraient vite fait
de l'expédier directement dans le courant nocturne
du fleuve, mais il n'était guère possible de deviner
autre chose que la piste luisante des rails à travers les
broussailles et les décombres. Le vent charriait une
rumeur étouffée provenant de l'autre rive du fleuve.
Ben regarda Roshan, qui observait nerveusement les
profondeurs obscures de la gare. Celui-ci s'approcha
de la voie ferrée et se pencha sur elle, sans quitter
Jheeter's Gate des yeux. Il posa la main sur la surface
d'un rail et la retira brusquement, comme s'il venait
de recevoir une décharge électrique.

— Il vibre ! s'écria-t-il, apeuré. Comme si un train
arrivait.

Ben le rejoignit et tâta le long ruban de métal.

— C'est la vibration du fleuve contre le pont, le ras-
sura-t-il. Il n'y a aucun train.

Seth et Michael avancèrent à leur tour pendant que
Ian s'agenouillait pour faire un double nœud à ses
chaussures, un rituel qu'il gardait pour les situations
où ses nerfs se transformaient en câbles d'acier.

Ian leva les yeux et leur sourit timidement, sans rien
montrer de la peur qui, Ben le savait, suintait de tous
ses pores, à l'instar des trois autres et de lui-même.

— Moi, cette nuit, à ta place, j'en ferais un triple, plaisanta Seth.

Ben sourit et les membres de la Chowbar Society échangèrent un regard entendu. Une seconde plus tard, faisant appel à ce talisman qui, en d'autres occasions, avait si bien protégé leur camarade, ils étaient tous en train de refaire les nœuds de leurs souliers.

Après quoi, ils se mirent en file indienne, Ben en tête, Roshan en arrière-garde, et s'engagèrent précautionneusement sur le pont. Ben, sur le conseil de Seth, prit soin de marcher tout près du rail, là où l'armature du pont était la plus solide. En plein jour, il paraissait facile d'éviter les traverses cassées et de détecter à l'avance les zones qui avaient cédé au passage du temps et filaient comme des toboggans droit vers le milieu du fleuve, mais, à minuit, le tracé se transformait en un bois truffé de pièges où il fallait progresser presque pas à pas, en tâtant le terrain.

Ils n'avaient guère parcouru plus d'une cinquantaine de mètres, le quart du trajet, quand Ben s'arrêta et leva la main. Ses camarades regardèrent devant eux sans comprendre. Un instant, ils restèrent silencieux, immobiles sur les poutrelles qui ondulaient comme de la gélatine sous les coups constants du fleuve rugissant à leurs pieds.

— Qu'est-ce qu'il y a ? demanda Roshan, à la queue de la file. Pourquoi on s'arrête ?

Ben leur montra Jheeter's Gate. Deux artères de feu se frayaient à toute allure un chemin dans leur direction en suivant les rails.

— Écartez-vous ! cria-t-il.

Les cinq garçons se jetèrent à terre. Les deux murs de feu fendirent l'air tout près d'eux, avec la furie de deux lames de couteau faites de gaz enflammé. Leur passage produisit un intense effet de succion, entraîna avec lui des morceaux de l'armature et laissa une traînée de flammes sur le pont.

— Tout le monde est indemne ? demanda Ian en se relevant et en constatant que, par endroits, ses vêtements fumaient et dégageaient de la vapeur.

Les autres firent silencieusement signe que oui.

— Profitons-en pour passer avant que les flammes ne se consument, suggéra Ben.

— Ben, je crois qu'il y a quelque chose sous le pont, indiqua Michael.

Les autres avalèrent leur salive. Un bruit insolite se faisait entendre sous le plancher métallique. La vision de griffes d'acier en train de s'attaquer aux plaques de fer s'imposa dans l'esprit de Ben.

— Pas question de rester plantés là pour vérifier ce que c'est ! Vite !

Les membres de la Chowbar Society repartirent derrière Ben en hâtant le pas, zigzaguant sur le pont sans prendre le temps de se retourner. Arrivés sur la terre ferme, à quelques mètres de l'entrée de la gare, Ben fit signe à ses camarades de s'éloigner de l'armature métallique.

— Qu'est-ce que c'est ? demanda Ian derrière lui.

Ben haussa les épaules.

— Regardez ! s'exclama Seth. Au milieu du pont !

Tous concentrèrent leur attention sur ce point. Les rails prenaient une tonalité rougeâtre qui irradiait dans les deux directions et dégageait un léger halo de fumée. Au bout de quelques secondes, les deux rails commencèrent à se tordre. De toute la structure du pont se mirent à tomber dans le Hooghly d'épaisses gouttes de métal en fusion qui produisaient de violentes détonations au contact de l'eau froide.

Ils assistèrent, paralysés, au spectacle saisissant d'une structure d'acier de plus de deux cents mètres de long qui fondait sous leurs yeux, tel un morceau de beurre dans une poêle brûlante. Le flamboiement du métal liquide s'enfonça dans le fleuve et teinta d'une dense couleur ambrée les visages des cinq amis. Puis le rouge incandescent laissa la place à une tonalité métallique opaque, sans éclat, et les deux extrémités s'abattirent dans le fleuve comme deux saules pleureurs pris au piège de la contemplation de leur propre image.

Le bruit furieux de l'acier répandant des étincelles dans le courant s'apaisa lentement. À ce moment, les cinq amis entendirent derrière eux la voix de la vieille sirène de Jheeter's Gate qui déchirait la nuit de Calcutta pour la première fois en seize ans. En silence, ils franchirent la frontière qui les séparait du décor fantasmagorique dans lequel ils s'apprêtaient à jouer la partie décisive.

Isobel ouvrit les yeux en entendant le hurlement de la sirène qui se propageait dans les tunnels en imitant l'annonce d'un bombardement. Ses pieds et ses mains étaient fermement assujettis à deux longues barres de métal rouillées. La seule clarté qu'elle percevait filtrait par le grillage d'une bouche d'aération située au-dessus d'elle. L'écho de la sirène s'évanouit lentement.

Soudain, elle entendit quelque chose se traîner vers l'orifice de la trappe. À travers les interstices lumineux, elle observa que le rectangle de clarté s'obscurcissait et que le grillage s'ouvrait. Elle ferma les yeux et retint sa respiration. La fermeture des pinces métalliques qui immobilisaient ses pieds et ses mains sauta avec un claquement. Une main aux longs doigts l'empoigna par la nuque à travers la trappe et la souleva verticalement. Elle ne put éviter de crier de terreur, et son geôlier la jeta contre la surface du tunnel comme un poids mort.

Elle ouvrit les yeux et se trouva face à une longue silhouette noire, immobile, une forme sans visage.

— Tu as de la visite. Ne faisons pas attendre tes amis.

À cet instant, deux pupilles ardentes brillèrent dans cette face invisible, comme des allumettes prenant feu dans l'obscurité. La forme l'attrapa par le bras et la traîna dans le tunnel. Au bout de ce qu'elle vécut comme des heures de trajet mortel dans le noir, Isobel distingua les contours fantomatiques d'un train arrêté dans l'ombre. Elle se laissa traîner jusqu'au wagon de queue et n'opposa pas de résistance lorsqu'elle fut violemment projetée à l'intérieur, où elle resta enfermée.

Étalée de tout son long sur la surface carbonisée du wagon, elle sentit un violent spasme de douleur dans le ventre. Un objet y avait ouvert une entaille de plusieurs centimètres. Elle gémit. La terreur l'envahit tout entière quand des mains la saisirent et tentèrent de la retourner. Elle cria et se trouva devant le visage sale et épuisé de ce qui lui parut être un garçon encore plus effrayé qu'elle.

— C'est moi, Isobel, chuchota Siraj. N'aie pas peur.

Pour la première fois de sa vie, Isobel ne retint pas ses larmes devant Siraj et étreignit le corps osseux et frêle de son ami.

Ben et ses camarades firent halte au pied de l'horloge aux aiguilles pliées qui se dressait sur le quai principal de Jheeter's Gate. Aux alentours se déployait un ample et insondable théâtre d'ombres et de lumières anguleuses qui passaient par les verrières encadrées d'acier et laissaient entrevoir les restes de ce qui avait été un jour la plus somptueuse gare jamais rêvée, une cathédrale de fer érigée en l'honneur du dieu du chemin de fer.

De là où ils étaient, les cinq garçons pouvaient imaginer le visage qu'avait présenté Jheeter's Gate avant la tragédie : une majestueuse voûte lumineuse tendue par des arcs invisibles qui paraissaient suspendus au ciel et recouvraient des rangées et des rangées de quais alignés en formant des courbes, comme les ondes que produit la chute d'une pièce de monnaie dans un bassin ; de grands panneaux annonçant les horaires de départ et d'arrivée des trains ; de luxueux kiosques en métal ouvragés dans le style victorien ; des escaliers dignes de palais conduisant, par des galeries d'acier et de verre, aux niveaux supérieurs, créant des passerelles suspendues en l'air ; les foules déambulant dans ses salles et montant dans les longs express qui devaient les conduire aux quatre coins du pays… De toute cette splendeur ne restait plus qu'un obscur reflet tronqué, transformé en antichambre de l'enfer que semblaient promettre ses tunnels.

Ian fixa les aiguilles de l'horloge déformées par les flammes et essaya d'imaginer l'ampleur de l'incendie. Seth le rejoignit, et tous deux évitèrent les commentaires.

— Nous devrions nous séparer en équipes de deux pour cette recherche. Le lieu est immense, indiqua Ben.

— Je ne crois pas que ce soit une bonne idée, fit observer Seth, qui ne pouvait effacer de son esprit l'image du pont s'effondrant dans le fleuve.

— Et même si nous le faisons, nous ne sommes que cinq, précisa Ian. Lequel restera seul ?

— Moi, répondit Ben.

Les autres se tournèrent vers lui avec un mélange de soulagement et d'inquiétude.

— Ça ne me paraît toujours pas une bonne idée, insista Seth.

— Ben a raison, intervint Michael. Avec ce que nous avons vu jusqu'à maintenant, que nous soyons cinq ou cinquante ne change rien.

— Homme de peu de paroles mais toujours avisé, commenta Roshan.

— Michael, suggéra Ben, toi et Roshan, vous pouvez inspecter les autres niveaux. Ian et Seth se chargeront de celui où nous sommes.

Personne ne semblait prêt à discuter cette répartition de tâches aussi peu séduisantes les unes que les autres.

— Et toi, où as-tu l'intention de chercher ? demanda Ian en prévoyant la réponse.

— Dans les tunnels.

— À une condition, précisa Seth en tentant d'imposer un peu de bon sens.

Ben acquiesça.

— Pas d'héroïsme stupide. Le premier qui découvre un indice s'arrête, repère l'endroit et revient chercher les autres.

— Ça paraît raisonnable, convint Ian.

Michael et Roshan approuvèrent de bonne grâce.

— Ben ? s'enquit Ian.

— D'accord, murmura le garçon.

— On n'a rien entendu, insista Seth.

— Promis. Nous nous retrouverons ici dans une demi-heure.

— Que le ciel t'entende, conclut Seth.

Dans la mémoire de Sheere, les dernières heures s'étaient transformées en quelques secondes, durant lesquelles son esprit semblait avoir succombé aux effets d'une drogue puissante qui avait brouillé ses sens en la précipitant dans un abîme sans fond. Elle se souvenait vaguement de ses vains efforts pour se libérer de la pression implacable de cette silhouette de feu qui l'avait traînée à travers un interminable réseau de conduits, plus sombres encore que la nuit la plus noire. Elle se souvenait aussi, comme d'une scène extraite d'un épisode lointain et confus, du visage de Ben se débattant sur le sol d'une maison dont les contours lui étaient familiers, tout en ignorant combien de temps s'était écoulé depuis. Peut-être une heure, peut-être une semaine ou un mois.

Quand la conscience lui revint de son propre corps et des meurtrissures que la lutte y avait laissées, elle comprit qu'elle était réveillée depuis plusieurs secondes et que le décor qui l'entourait ne faisait pas partie de son cauchemar. Elle était dans un espace long et profond, flanqué de deux rangées de fenêtres diffusant une vague clarté lointaine qui permettait de deviner les restes de ce qui ressemblait à un étroit salon. Les squelettes calcinés de trois petites lampes en cristal pendaient du plafond telles des branches mortes. Les débris d'un miroir qui avait volé en éclats luisaient dans la pénombre derrière un comptoir dont l'aspect suggérait un bar de luxe. Un bar de luxe dévoré par une impitoyable furie incendiaire.

Elle essaya de se lever et, le temps de constater que la chaîne qui lui liait les poignets dans le dos était attachée à un mince tuyau, elle comprit instinctivement où elle se trouvait : à l'intérieur d'un train échoué dans les galeries souterraines de Jheeter's Gate. La noire certitude de son séjour s'abattit sur elle comme une douche d'eau glacée qui la réveilla de la stupeur et de l'apathie pesant sur son esprit.

Elle s'efforça de mieux voir et tenta de trouver, dans la masse obscure des tables tombées et des décombres de l'incendie, un outil capable de l'aider à se libérer de ses liens. À première vue, l'intérieur du wagon dévasté ne contenait que des vestiges carbonisés et inutilisables qui avaient miraculeusement survécu. Elle se débattit furieusement, sans autre résultat qu'un resserrement de ses liens.

À deux mètres devant elle, une masse noire qu'elle avait d'abord prise pour un tas de décombres s'agita soudain, avec l'agilité d'un grand fauve qui serait resté immobile. Un sourire s'alluma sur le visage invisible dans l'ombre. Elle sentit son cœur se serrer. La forme s'approcha tout près de sa figure. Les yeux de Jawahal brillèrent comme des braises sous le vent, et Sheere perçut l'odeur âcre et pénétrante de l'essence brûlée.

— Bienvenue dans ce qui reste de mon foyer, Sheere, murmura froidement Jawahal. C'est bien comme ça que tu t'appelles, non?

Sheere fit signe que oui, paralysée par la terreur que lui inspirait cette présence.

— Tu n'as rien à craindre de moi, dit Jawahal.

La jeune fille retint les larmes qui luttaient pour échapper à son contrôle : elle n'avait pas l'intention de capituler aussi vite. Elle ferma les yeux avec force et respira le plus profondément qu'elle put.

— Regarde-moi quand je te parle, dit Jawahal sur un ton qui lui glaça le sang.

Elle ouvrit lentement les yeux et vit avec horreur la main de Jawahal s'approcher de son visage. Les longs doigts, protégés par un gant noir, lui caressèrent la joue et écartèrent avec une extrême délicatesse les mèches de cheveux qui lui tombaient sur le front.

245

Pendant une seconde, les yeux de son geôlier perdirent de leur éclat.

— Tu lui ressembles tellement…, murmura Jawahal.

Brusquement, la main se retira comme celle d'un animal pris de peur, et Jawahal se leva. Sheere remarqua que les liens dans son dos se détachaient et que ses mains redevenaient libres.

— Lève-toi et suis-moi, ordonna-t-il.

Elle obéit docilement, laissant Jawahal la précéder. Dès que l'obscure silhouette eut avancé de quelques mètres dans les décombres du wagon, elle se mit à courir dans la direction opposée aussi vite que ses muscles tuméfiés le lui permirent. Elle traversa le wagon en catastrophe et se jeta contre la porte qui séparait les voitures, reliées l'une à l'autre par une petite plate-forme à découvert. Elle posa la main sur la poignée d'acier noirci et appuya avec force. Le métal céda comme de la pâte à modeler. Interdite, Sheere vit qu'il se transformait en cinq doigt effilés qui lui saisirent le poignet. Lentement, la surface de la porte se replia sur elle-même et adopta la forme d'une statue brillante au visage lisse dont émergèrent les traits de Jawahal. Ses genoux se dérobèrent sous elle et elle s'écroula. Jawahal la souleva en l'air et elle lut dans ses yeux sa colère contenue.

— N'essaye pas de me fuir, Sheere. Très bientôt, toi et moi nous formerons un seul être. Je ne suis pas ton ennemi. Je suis ton avenir. Avance avec moi, sinon, voici ce qui t'arrivera.

Il ramassa par terre les restes d'une coupe de cristal brisée, les entoura de ses doigts et serra avec force. Le cristal fondit dans son poing, répandant entre ses doigts de grosses gouttes de verre liquide qui tombèrent sur le plancher du wagon pour y former un miroir de flammes au milieu des décombres. Jawahal lâcha Sheere et la laissa tomber à quelques centimètres du cristal fumant.

— Maintenant, fais ce que je t'ai dit.

Seth s'agenouilla devant ce qui ressemblait à une flaque brillante sur le sol, dans la section centrale de la gare, et passa les doigts dessus. Le liquide était tiède, épais, et avait la texture d'une huile répandue.

— Ian, viens voir ça, appela-t-il.

Le garçon s'approcha et s'accroupit à côté de lui. Seth lui montra ses doigts tachés de cette substance visqueuse. Ian trempa la pointe de son index et, après en avoir vérifié la consistance en la frottant avec le pouce, il la flaira.

— C'est du sang, déclara l'aspirant médecin.

Seth pâlit soudain et s'essuya nerveusement les doigts sur la jambe de son pantalon.

— Isobel ? demanda-t-il en s'écartant de la flaque et en réprimant les nausées qui refluaient de son estomac.

— Je ne sais pas, répondit Ian, décontenancé. On a l'impression que c'est récent.

Il se releva et examina le sol autour de la large tache sombre.

— Il n'y a pas d'empreintes. Ni de traces, murmura-t-il.

Seth le dévisagea sans comprendre la portée de cette réflexion.

— Quelqu'un qui aurait perdu tout ce sang ne pourrait aller loin sans laisser des traces sur le sol, expliqua Ian, même s'il a été traîné. Ça n'a pas de sens.

Seth soupesa la théorie de son ami et fit le tour de la flaque en vérifiant qu'il n'y avait ni marque ni signe partant de celle-ci à plusieurs mètres à la ronde. De nouveau l'un près de l'autre, ils échangèrent un regard d'incompréhension. Brusquement, une ombre d'incertitude apparut dans les yeux de Ian, et Seth capta au vol l'idée qui venait de traverser l'esprit de son ami. Lentement, tous deux levèrent la tête vers la voûte qui se perdait dans l'obscurité.

Tandis qu'ils scrutaient les ombres supérieures de la grande salle, leur attention fut attirée par un lustre de cristal suspendu au milieu. À l'une de ses extrémités, une corde blanche soutenait un corps qui se balançait doucement dans le vide, enveloppé dans une cape brillante. Ils avalèrent tous deux leur salive.

— Mort? interrogea timidement Seth.

Sans cesser de fixer ce spectacle macabre, Ian haussa les épaules.

— On ne devrait pas aviser les autres? ajouta Seth, angoissé.

— Dès que nous saurons qui c'est. S'il s'agit bien de son sang, et tout semble l'indiquer, peut-être vit-il encore. On va le décrocher.

Seth ferma les yeux. Depuis qu'ils avaient passé le pont, il s'attendait à quelque chose de ce genre, mais de constater que son pressentiment était fondé renforça les nausées qui se pressaient dans sa gorge. Il respira profondément et choisit d'essayer de ne plus réfléchir.

— D'accord, convint-il, résigné. Comment ?...

Ian examina la partie supérieure de la salle. Il repéra une cursive métallique qui en longeait le pourtour, quelque quinze mètres plus haut. De là partait un étroit conduit en direction du lustre de cristal, à peine une passerelle, probablement destinée à l'entretien et au nettoyage.

— Nous allons monter jusqu'à ce passage et nous le décrocherons.

— Un de nous deux devrait rester ici pour l'accueillir, précisa Seth. Je crois que ça devrait être toi.

Ian observa son camarade avec soin.

— Tu es sûr que tu veux monter seul ?

— J'en crève d'envie. Attends ici. Ne bouge pas.

Ian acquiesça. Seth se dirigea vers l'escalier qui menait au niveau supérieur de Jheeter's Gate. Dès que l'ombre eut englouti son camarade et que le bruit de ses pas sur les marches se fut éteint, il examina l'obscurité environnante.

Le vent qui s'échappait des tunnels sifflait à ses oreilles et faisait voleter des petits fragments de décombres sur le sol. Ian leva de nouveau les yeux et tenta de distinguer les traits de la forme suspendue qui tournait sur elle-même, sans y parvenir. Il lui était impossible d'accepter l'idée que ce puisse être Isobel, Siraj ou Sheere. Soudain, un reflet fugace éclaira la surface de la flaque à ses pieds, mais, quand il baissa les yeux, c'était déjà passé.

Jawahal traîna Sheere le long de ce couloir fantastique que formait le train arrêté dans le tunnel, jusqu'au wagon de tête, celui qui précédait la locomotive. Une intense lueur orangée passait sous les portes du wagon, et le bruit furieux d'une chaudière grondait à l'intérieur. Sheere sentit que la température montait de façon vertigineuse et que tous les pores de sa peau s'ouvraient au contact de l'air brûlant et embrasé qui sortait de là.

— Qu'est-ce qu'il y a, à l'intérieur ? demanda-t-elle, épouvantée.

— La machine de feu, répondit Jawahal en ouvrant la porte et en poussant la jeune fille. Ma maison et ma prison. Mais tout ça va très vite changer grâce à toi, Sheere. Après toutes ces années, nous voici de nouveau réunis. N'est-ce pas ce que tu as toujours souhaité ?

Sheere se protégea le visage de la bouffée de chaleur dévorante qui l'assaillit subitement et observa entre ses doigts l'intérieur du wagon. Une gigantesque machinerie formée par de grandes chaudières métalliques reliées à un interminable alambic tout en tuyauteries et en valves rugissait devant elle, menaçant d'exploser. D'entre les joints de cet engin monstrueux fusaient des jets furieux de vapeur et de gaz, qui revêtaient les parois du wagon d'une intense teinte cuivrée. Au-dessus d'un panneau de métal qui portait tout un jeu d'indicateurs de pression et de manomètres,

Sheere reconnut, gravé dans le fer, un aigle s'élevant majestueusement d'entre les flammes. Sous le rapace, elle aperçut des mots écrits dans un alphabet qu'elle ne connaissait pas.

— L'Oiseau de Feu, dit Jawahal près d'elle. Mon alter ego.

— Mon père a construit cette machine..., murmura Sheere. Vous n'avez aucun droit à l'utiliser. Vous n'êtes qu'un voleur et un assassin.

Jawahal l'observa, songeur, et passa sa langue sur ses lèvres.

— Quel monde avons-nous édifié, où même les ignorants ne peuvent pas être heureux? Réveille-toi, Sheere!

La jeune fille se tourna pour le contempler avec mépris.

— Vous l'avez tué..., dit-elle en lui adressant un regard chargé de haine.

Les lèvres de Jawahal se contractèrent en une grimace silencieuse et grotesque. Il fallut quelques secondes à Sheere pour comprendre qu'il riait. Ce faisant, il la poussa doucement contre la paroi brûlante du wagon et pointa vers elle un doigt menaçant.

— Reste ici et ne bouge pas, ordonna-t-il.

Sheere le vit s'approcher de la machinerie palpitante de l'Oiseau de Feu et appliquer ses paumes sur le métal chauffé à blanc des chaudières. Ses mains y adhérèrent. Elle sentit l'odeur de la peau carbonisée dans le grésillement répugnant que produisait la chair en brûlant. Jawahal entrouvrit lentement les lèvres, et les nuages de vapeur qui flottaient dans le wagon sem-

251

blèrent pénétrer dans ses entrailles. Puis il se retourna et sourit devant le visage horrifié de la jeune fille.

— Tu as peur de jouer avec le feu? Alors, nous jouerons à autre chose. Nous n'avons pas le droit de décevoir tes amis.

Sans attendre de réponse, il s'écarta des chaudières et se dirigea vers l'extrémité du wagon, où il prit un grand panier d'osier avec lequel il revint vers Sheere, un sourire inquiétant aux lèvres.

— Sais-tu quel est l'animal qui ressemble le plus à l'homme? lui demanda-t-il aimablement.

Sheere hocha négativement la tête.

— Je constate que l'éducation donnée par ta grand-mère est plus pauvre qu'on pouvait l'espérer. L'absence d'un père est irréparable…

Il ouvrit le panier et y introduisit le poing. Ses yeux brillèrent d'un éclat malicieux. Lorsqu'il l'eut retiré, il tenait entre les mains le corps sinueux et luisant d'un serpent. Une vipère.

— Voici l'animal qui ressemble le plus à l'homme. Il rampe et change de peau à sa convenance. Il vole et mange les petits des autres espèces jusque dans leur nid, mais il est incapable de les affronter à combat découvert. Sa spécialité, néanmoins, est de profiter de la moindre occasion pour administrer sa piqûre mortelle. Il n'a de venin que pour une seule morsure, et il lui faut des heures pour le reconstituer, mais quiconque en est marqué est condamné à une mort lente et certaine. À mesure que le venin pénètre dans les veines, le cœur de la victime bat de plus en plus lentement, pour finir par s'arrêter. Pourtant cette petite bête, toute mauvaise qu'elle soit, jouit comme l'homme d'un certain goût pour la poésie. Sauf que, à la différence de celui-ci, elle ne mordrait jamais ses semblables. Une erreur, tu ne crois pas ? C'est peut-être pour ça qu'elle a fini par servir aux jeux de rue des fakirs et des curieux. Elle n'est pas encore à la hauteur du roi de la création.

Jawahal approcha le reptile de Sheere, qui se plaqua contre la paroi. Il sourit de contentement devant le regard terrifié de la jeune fille.

— Nous avons toujours peur de ce qui nous est le plus proche. Mais ne t'inquiète pas : elle n'est pas pour toi.

Il prit une petite boîte en bois rouge et y glissa le serpent. Sheere respira plus calmement, une fois le reptile hors de son champ de vision.

— Que voulez-vous en faire ?

— Je te l'ai dit : je le garde pour un petit jeu. Cette nuit, nous avons des invités, et nous devons leur fournir toutes sortes de distractions.

— Quels invités ? demanda la jeune fille, en priant pour que Jawahal ne confirme pas ses pires craintes.

— Question superflue, ma chère. Réserve tes demandes aux véritables points d'interrogation. Par exemple : nos invités reverront-ils la lumière du jour, et comment ? Ou combien de temps le baiser de notre petite amie mettra-t-il à éteindre un cœur sain et jeune, débordant de la santé de ses seize ans ? La rhétorique nous enseigne que ce sont là des questions ayant un sens et une structure. Si tu ne sais pas t'exprimer,

Sheere, tu ne sais pas penser. Et si tu ne sais pas penser, tu es perdue.

— Ces mots appartiennent à mon père, l'accusa Sheere. C'est lui qui les a écrits.

— Je vois que nous lisons tous les deux les mêmes livres. Quel meilleur début pour une amitié éternelle, ma chère ?

La jeune fille absorba en silence le petit discours de Jawahal sans quitter des yeux la boîte en bois rouge qui abritait la vipère. Elle imaginait son corps squameux en train de se tordre à l'intérieur. Jawahal haussa les sourcils.

— Bien. Maintenant, tu devras excuser mon absence momentanée ; je dois organiser la réception de nos hôtes. Prends patience et attends-moi. Ça en vaudra la peine.

Là-dessus, il l'attrapa de nouveau et la conduisit dans un minuscule réduit auquel on accédait par une porte pratiquée dans la paroi du tunnel et qui, en d'autres temps, avait servi à loger les leviers des aiguillages. Il poussa la jeune fille à l'intérieur et déposa la boîte rouge à ses pieds. Elle le regarda d'un air suppliant, mais il referma la porte sur elle et la laissa dans le noir le plus total.

— Sortez-moi d'ici, je vous en conjure, insista-t-elle.

— Je t'en sortirai très vite, Sheere, murmura la voix de Jawahal de l'autre côté de la porte. Et alors, personne ne nous séparera plus.

— Qu'est-ce que vous voulez faire de moi ?

— Je vais vivre à l'intérieur de toi, Sheere. Dans ton esprit, dans ton âme et dans ton corps. Avant le lever du jour, tes lèvres seront les miennes et tes yeux verront ce que je vois. Demain, tu seras immortelle, Sheere. Qui pourrait demander plus ?

La jeune fille gémit dans l'obscurité.

— Pourquoi faites-vous tout ça ? implora-t-elle.

Il resta quelques instants silencieux.

— Parce que je t'aime, Sheere…, répondit-il enfin. Et tu connais le dicton : nous tuons toujours ce que nous aimons le plus.

Après une attente interminable, Seth finit par apparaître sur la cursive qui faisait le tour de la partie supérieure de la salle. Ian soupira, soulagé.

— Où étais-tu donc passé ? protesta-t-il.

Le son de sa voix se répercuta dans la salle, formant un étrange dialogue avec son propre écho. Son peu d'espoir de passer inaperçu pendant leurs recherches venait de s'évanouir en un clin d'œil.

— Ça n'est pas facile d'arriver jusqu'ici ! cria Seth. C'est le pire nid de couloirs et de passages sans lumière, pyramides d'Égypte mises à part. Tu devrais être content que je ne me sois pas perdu.

Ian acquiesça et fit signe à Seth de se diriger vers la passerelle qui menait au cœur du lustre de cristal. Seth parcourut la cursive et s'arrêta devant.

— Quelque chose ne va pas ? demanda Ian en observant son camarade à plus de dix mètres au-dessus de lui.

Seth fit non de la tête et s'engagea sur l'étroite passerelle pour s'arrêter de nouveau à deux mètres du corps suspendu à la corde. Il s'approcha lentement jusqu'au bord et se pencha pour l'examiner. Ian vit son visage se décomposer.

— Seth ? Que se passe-t-il, Seth ?

Les cinq secondes suivantes filèrent à une vitesse vertigineuse. Ian, impuissant, ne put qu'assister au terrible spectacle qui se déroulait sous ses yeux et en enregistrer chaque détail sans avoir le temps de réagir. Seth s'était agenouillé pour détacher la corde qui soutenait le corps, mais, quand il la saisit, celle-ci se lova autour de ses jambes tel un serpent, tandis que le corps inerte était précipité dans le vide. Ian vit la corde donner une violente secousse à son ami et l'entraîner dans les ténèbres de la voûte, comme un pantin sans défense. Seth, tenu par une jambe, se débattait en vain et criait au secours tandis que son corps montait à la verticale avec une rapidité déconcertante et disparaissait.

Presque en même temps, le corps qui avait chuté dans le vide tomba sur la flaque de sang. Ian découvrit que la cape brillante enveloppait les restes d'un squelette, dont les ossements éclatèrent en touchant le sol et se dispersèrent en poussière. La cape recouvrit la tache sombre et l'absorba. Ian réagit et s'en approcha. En l'examinant, il reconnut la cape qu'il avait si souvent cru voir à St. Patrick's, au cours de ses nuits d'insomnie, sur les épaules de cette dame de lumière qui venait contempler son ami Ben endormi.

Il leva de nouveau les yeux à la recherche d'une trace de Seth, mais l'obscurité impénétrable l'avait dévoré. Il ne restait d'autre vestige de sa présence que l'écho mourant de ses cris, qui se perdait dans les confins de cette voûte de cathédrale.

— Tu as entendu ? demanda Roshan en s'arrêtant pour écouter les cris qui paraissaient s'échapper des entrailles de la gigantesque structure.

Michael fit signe que oui. L'écho s'évanouit bientôt et tous deux n'entendirent plus que le tintement intermittent produit par la chute des gouttes de pluie fine sur la partie supérieure de la voûte sous laquelle ils se trouvaient. Ils étaient montés jusqu'au dernier niveau de Jheeter's Gate et, une fois là, ils avaient découvert le spectacle insolite de l'immense gare vue d'en haut. Les quais et les voies semblaient très loin, et l'on saisissait beaucoup plus clairement l'extraordinaire entrelacs des voûtes et des niveaux superposés.

Michael fit halte au bord d'une balustrade qui s'avançait dans le vide, surplombant à la verticale la grande horloge sous laquelle ils étaient passés en pénétrant dans la gare. Son sens pictural lui permit d'apprécier l'effet hypnotique produit par la fuite de centaines de poutrelles arquées qui, partant du centre géométrique de la coupole, se perdaient dans une courbe infinie sans jamais arriver jusqu'au sol. De cet observatoire privilégié, cette gare donnait l'impression de monter vers le ciel en dessinant une insondable tour de Babel qui s'enfonçait dans les nuages et se vrillait entre eux comme une colonne byzantine. Roshan le rejoignit et jeta un bref coup d'œil sur la vision vertigineuse qui ensorcelait son ami.

— Tu vas avoir le mal de mer. Viens, continuons.

Michael leva la main en signe de protestation.

— Non. Attends. Viens là.

Roshan se pencha fugacement au bord de la balustrade.

— Si je regarde encore, je tomberai.

Un sourire énigmatique affleura sur les lèvres de Michael. Roshan observa son camarade en se demandant ce que ses yeux avaient pu découvrir.

— Tu ne remarques rien, Roshan ? demanda Michael.

Son ami hocha négativement la tête.

— Explique-moi.

— Cette structure. Si tu observes la ligne de fuite depuis ce point de la coupole, tu comprendras.

Roshan tenta de suivre les indications de Michael, mais l'objet de ses observations lui restait insaisissable.

— Qu'est-ce que tu essayes de me dire ?

— C'est très simple. Toute la structure de Jheeter's Gate est une immense sphère dont nous voyons seulement la partie émergée. La tour de l'horloge est située à la verticale du centre de la coupole, comme une indication de son rayon.

Roshan assimila péniblement les explications de Michael.

— Bien, admit-il. C'est un genre de gros ballon. Et alors ?

— Tu connais la difficulté technique que représente la construction d'une structure comme celle-là ?

Roshan marqua de nouveau son ignorance.

— Je suppose qu'elle doit être considérable, risqua-t-il.

— Radicale, affirma Michael en allant chercher dans le coin le plus reculé de sa mémoire l'adjectif qu'il considérait comme le summum des superlatifs. Pour quelle raison quelqu'un dessinerait-il une structure pareille ?

— Je ne suis pas très sûr de vouloir connaître la réponse, répliqua Roshan. Descendons d'un niveau. Ici, il n'y a rien.

Michael, absent, approuva et le suivit en direction de l'escalier.

Le niveau intermédiaire, qui s'étendait sous la galerie d'observation de la coupole, mesurait à peine un mètre et demi de hauteur et était inondé par l'infiltration de la pluie qui tombait sur Calcutta depuis le début de mai. Le sol était noyé sous plusieurs centimètres d'une eau stagnante et corrompue qui dégageait une vapeur fétide et nauséabonde, et couvert d'une couche de boue et de décombres en décomposition depuis plus de dix ans. Michael et Roshan, pliés en deux pour s'y introduire, avançaient laborieusement dans la fange qui leur montait à la cheville.

— Cet endroit est pire que les catacombes, commenta Roshan. Pourquoi diable cet étage est-il si bas ? Ça fait des siècles que les gens ne mesurent plus un mètre cinquante.

— C'était probablement une zone réservée. Elle abrite peut-être une partie du système de poids qui compensent la voûte. Fais gaffe à ne pas trébucher. Toute la gare pourrait dégringoler.

— C'est une plaisanterie ?

— Oui, répondit succinctement Michael.

— C'est la troisième que je t'entends faire en six ans. Et c'est la pire.

Michael ne prit pas la peine de répondre et continua d'avancer lentement dans ce souterrain paradoxalement construit dans les hauteurs. La puanteur des eaux pourries commençait à lui marteler le cerveau, et il envisageait de suggérer de revenir pour descendre encore d'un niveau, tant il lui paraissait peu probable que quelque chose ou quelqu'un se cache dans ce bourbier inexpugnable.

— Michael ? appela la voix de Roshan à quelques mètres derrière lui.

Il se retourna et aperçut la silhouette de son camarade courbée à côté d'un segment oblique de grande poutrelle métallique.

— Michael, dit Roshan d'un voix désemparée, est-il possible que cette poutrelle bouge, ou est-ce mon imagination qui me joue des tours ?

Michael supposa que son ami avait, lui aussi, inhalé trop longtemps ces vapeurs de putréfaction et s'apprêta à quitter définitivement le niveau intermédiaire, quand il entendit une forte détonation à l'autre bout de l'étage. Tous deux se retournèrent ensemble, puis se dévisagèrent. Le bruit retentit de nouveau, cette fois accompagné de mouvements. Ils virent quelque chose avancer vers eux à toute allure, submergé dans la boue et soulevant à chaque pas un sillage d'ordures et d'eau croupie qui giclait jusqu'au plafond bas. Sans attendre une seconde de plus, ils s'élancèrent de toutes leurs forces vers la porte de sortie, pliés en deux, et évitant une nappe de boue et d'eau de trente centimètres de profondeur.

Avant qu'ils aient pu faire plus de quelques mètres, l'objet immergé les dépassa, décrivit une courbe serrée et revint droit sur eux. Ils se séparèrent, courant dans des directions opposées en essayant de distraire l'attention de la chose, quelle qu'elle fût, qui leur donnait la chasse. La créature cachée sous la fange se divisa en deux, et chaque partie se lança dans une vertigineuse poursuite des jeunes gens.

Michael, haletant, le souffle coupé, se retourna une demi-seconde pour voir s'il était toujours suivi. Ses pieds butèrent sur une marche masquée par la boue. Son corps tomba sur la surface fangeuse et les eaux fétides l'engloutirent. Lorsqu'il émergea et ouvrit les yeux, en proie à une douleur cuisante, une colonne de boue s'élevait lentement devant lui, pareille à une figure en chocolat brûlant versée d'une cruche invisible. Il rampa au milieu de la boue et ses mains glissèrent de nouveau, le laissant couché dedans de tout son long.

La forme de boue déploya deux bras immenses, dont jaillirent aux extrémités des doigts longs et prolongés par de grands crocs de métal. Michael assista, terrifié, à la formation de ce sinistre golem et vit que du tronc sortait une tête, sur le visage de laquelle se dessina un énorme gosier bordé de longues dents aiguisées comme des couteaux de chasse. La forme se solidifia en un instant et la boue séchée répandit une onde de vapeur. Michael se releva. La forme se craquela, pendant que des centaines de fissures la parcouraient. Celles-ci s'élargirent lentement et les yeux de feu de Jawahal brillèrent au-dessus de lui. La boue séchée s'éparpilla en une mosaïque d'innombrables miettes. Jawahal saisit Michael à la gorge et approcha le garçon de son visage.

— C'est toi le dessinateur ? questionna-t-il en l'élevant en l'air.

Michael fit signe que oui.

— Bien. Tu as de la chance, mon garçon. Tu vas voir aujourd'hui des choses qui tiendront ton crayon occupé pour le restant de tes jours. En supposant, bien entendu, que tu restes vivant pour les dessiner.

Roshan courut vers la porte de sortie, les coups de fouet de l'adrénaline parcourant ses veines comme un torrent d'essence en feu. Au moment où il arrivait à deux mètres à peine de l'issue, il sauta et alla s'étaler sur la surface nette et libre de boue de la plate-forme. En se relevant, sa première réaction fut de continuer à courir jusqu'à ce qu'il sente son cœur fondre comme un morceau de beurre. L'instinct acquis au cours des années qui avaient précédé son entrée à St. Patrick's, lorsqu'il était un petit voleur des rues de Calcutta, ne s'était pas éteint.

Pourtant, quelque chose le retint. Il avait perdu la trace de Michael au moment où ils s'étaient séparés à l'intérieur du niveau intermédiaire, et maintenant il n'entendait même plus les cris de son ami courant désespérément pour rester en vie. Roshan ignora les avertissements que lui prodiguait le bon sens et revint vers l'entrée de la galerie. Il n'y avait pas trace de

Michael ni de la créature qui les avait poursuivis. Il ressentit quelque chose qui ressemblait à un coup de poing d'acier en plein estomac, quand il comprit que son poursuivant avait pisté Michael et que, grâce à ça, lui-même était sain et sauf. Il passa la tête à l'intérieur et essaya encore de repérer son ami.

— Michael ! cria-t-il de toutes ses forces.

Son appel se perdit sans recevoir de réponse.

Il soupira, abattu, en s'interrogeant sur ce qu'il devait faire : aller chercher les autres et abandonner Michael dans cet endroit, ou y retourner. Aucune de ces deux perspectives ne paraissait vouée au succès, mais quelqu'un avait déjà décidé pour lui. Deux longs bras émergèrent de la porte au ras du sol, comme deux projectiles visant ses pieds. Les griffes se fermèrent sur ses chevilles. Il tenta de se libérer, mais les bras le tirèrent avec force, parvinrent à le renverser et l'entraînèrent de nouveau à l'intérieur de la galerie, comme un enfant ferait d'un jouet cassé.

Des cinq garçons qui avaient promis de se retrouver sous l'horloge au bout d'une demi-heure, le seul à venir au rendez-vous fut Ian. Jamais la gare ne lui avait paru aussi déserte. L'angoisse due à l'incertitude concernant le sort de Seth et de ses amis l'empêchait de respirer. À se voir seul dans ce lieu fantomatique, il n'avait pas de peine à imaginer qu'il était le dernier à ne pas être encore tombé dans les griffes du sinistre maître des lieux.

Il scruta fébrilement dans toutes les directions la

gare désolée en se demandant quoi faire : attendre là, immobile, ou partir à la recherche de secours au milieu de la nuit. La bruine, en s'infiltrant, formait des petites gouttes qui tombaient de hauteurs insondables. Il dut faire appel à tout ce qui lui restait de calme pour écarter de son esprit l'idée que ces gouttes éclatant sur les rails n'étaient autres que le sang de son ami Seth qui se balançait dans le noir.

Pour la énième fois, il leva les yeux vers la voûte dans le vain espoir d'y deviner un indice de l'endroit où se trouvait Seth. Les aiguilles de l'horloge lui offraient un sourire spongieux et les gouttes de pluie glissaient lentement sur le cadran, formant de fines traînées luisantes entre les chiffres en relief. Il soupira. Ses nerfs commençaient à le trahir. Il songea que s'il n'obtenait pas tout de suite un signe de la présence de ses amis, il s'enfoncerait à son tour dans le réseau souterrain sur les traces de Ben. L'idée ne lui semblait pas particulièrement intelligente, mais c'était la seule carte qui lui restait à jouer. C'est alors qu'il entendit, venant de la bouche d'un tunnel, le bruit de quelque chose qui s'approchait. Il respira, soulagé, en constatant qu'il n'était pas seul.

Il alla jusqu'au quai et observa la forme incertaine qui apparaissait sous la voûte du tunnel. Un désagréable picotement lui parcourut le dos. Un wagonnet arrivait lentement, mû par la seule force d'inertie. Dessus, on distinguait une chaise et, sur cette chaise, immobile, une silhouette dont la tête était dissimulée sous un capuchon noir. Le wagonnet glissa lentement devant lui avant de s'arrêter complètement. Ian resta rivé au sol en contemplant la forme paralysée et fut surpris d'entendre sa propre voix appeler, avec un tremblement qui trahissait son inquiétude :

— Seth ?

La forme sur la chaise de bougea pas. Ian marcha jusqu'à l'avant du wagonnet et sauta dedans. Son occupant ne donnait aucun signe de mouvement. Il parcourut avec une lenteur d'agonie la distance qui l'en séparait pour s'arrêter à quelques centimètres de la chaise.

— Seth ? murmura-t-il de nouveau.

Un son étrange sortit de sous le capuchon, pareil à un grincement de dents. Ian sentit son estomac se recroqueviller, réduit à la taille d'une balle de cricket. Le son étouffé se répéta. Il saisit le capuchon et compta mentalement jusqu'à trois ; puis il ferma les yeux et le souleva.

Quand il les rouvrit, un visage souriant et histrionique l'observait avec des yeux sans regard. Le capuchon lui tomba des mains. C'était un mannequin au visage blanc comme de la porcelaine, avec deux grands losanges noirs peints au-dessus des yeux, leur angle inférieur se prolongeant le long des joues en une larme de goudron.

Le mannequin grinça mécaniquement des dents. Ian examina la grotesque figure et tenta d'élucider ce qui se cachait derrière cette manœuvre extravagante. Prudemment, il tendit la main vers le visage et chercha le mécanisme qui l'actionnait.

Avec une vitesse féline, le bras droit de l'automate tomba sur le sien et, avant de pouvoir réagir, Ian vit que son poignet gauche était emprisonné dans des menottes. L'autre extrémité de ces menottes entourait le bras du mannequin. Le garçon tira de toutes ses forces, mais le mannequin était rivé au wagonnet et se borna à grincer de nouveau des dents. Ian se débattit désespérément. Au moment même où il comprit qu'il ne parviendrait pas à se libérer seul, le wagonnet s'ébranla ; dans l'autre sens, cette fois : vers la gueule obscure du tunnel.

Ben s'arrêta au croisement de deux tunnels et, pendant une seconde, envisagea la possibilité d'être passé deux fois au même endroit. Depuis qu'il s'était enfoncé dans les tunnels de Jheeter's Gate, c'était là une sensation récurrente et inquiétante. Il sortit une des allumettes qu'il économisait de façon spartiate et la gratta doucement sur la paroi. La faible pénombre autour de lui s'éclaira d'une chaude lueur. Il examina le croisement du tunnel, où filaient les rails, et du large conduit d'aération qui le coupait perpendiculairement.

Une bouffée d'air saturé de poussière éteignit la flamme de l'allumette. Ben se retrouva dans ce monde d'ombres où, quelque direction qu'il prenne, il avait toujours l'impression de n'arriver nulle part. Il commençait à soupçonner qu'il avait dû se perdre et que, s'il persistait à pénétrer plus avant dans les lacis de cet univers souterrain, il pourrait mettre des heures, voire des jours, à en sortir. Le bon sens lui conseillait la prudence, c'est-à-dire de revenir sur ses pas pour regagner la partie principale de la gare. Il avait beau essayer de visualiser mentalement le labyrinthe de tunnels et le système compliqué de ventilation et d'interconnexion des galeries adjacentes, il n'arrivait pas à écarter l'hypothèse absurde que ce lieu bougeait autour de lui. S'engager en aveugle dans de nouvelles directions ne ferait que le ramener à son point de départ.

Décidé à ne pas se laisser désorienter définitivement par la complexité du réseau de galeries, il fit demi-tour et pressa le pas, en se demandant si le temps fixé pour le rendez-vous général sous l'horloge de la gare était déjà écoulé. Tout en déambulant dans les interminables conduits de Jheeter's Gate, il imagina l'existence possible d'une étrange loi de la physique démontrant qu'en l'absence de lumière le temps court plus vite.

Il avait l'impression d'avoir parcouru des miles entiers dans le noir, quand la clarté diaphane qui émanait de l'espace ouvert sous la grande coupole de Jheeter's Gate se manifesta au bout de la galerie. Il respira, soulagé, et courut vers la lumière avec la certitude d'avoir échappé au cauchemar du labyrinthe après une interminable pérégrination.

Mais quand il eut finalement atteint la sortie du tunnel et se fut engagé dans l'étroite tranchée qui se prolongeait entre les deux quais parallèles, sa bouffée d'optimisme se révéla éphémère. Tout de suite, le poids d'une nouvelle inquiétude l'écrasa. La gare était déserte, et il ne voyait pas trace des autres membres de la Chowbar Society.

Il se hissa d'un bond sur le quai et parcourut les quelque cinquante mètres qui le séparaient de la tour de l'horloge, en la seule compagnie de l'écho de ses pas et du grondement menaçant de l'orage. Il contourna la tour et s'arrêta au pied du grand cadran aux aiguilles déformées. Il n'avait pas besoin d'horloge pour deviner que le temps fixé par ses camarades pour se retrouver à cet endroit était largement dépassé.

Il s'adossa au mur de briques noircies de la tour et constata que son idée de diviser le groupe en vue d'une plus grande efficacité dans les recherches n'avait pas donné le résultat escompté. La seule différence entre cet instant et celui où il avait passé le seuil de Jheeter's Gate était qu'il se trouvait désormais seul ; après Sheere, il avait perdu tous ses camarades.

La tempête rugit furieusement comme si elle avait déchiré le ciel en deux d'un coup de dents. Il décida de partir à la recherche de ses amis. Que cela lui prenne une semaine ou un mois, peu importait ; au vu des cartes qui lui restaient, c'était le seul jeu possible. Il se dirigea vers le quai central, en direction de l'aile arrière de Jheeter's Gate où se trouvaient les anciens bureaux, les salles d'attente et le petit complexe de bazars, de cafés et de restaurants carbonisés après quelques minutes à peine de vie utile. C'est alors qu'il aperçut la cape brillante étalée au sol à l'intérieur d'une des salles d'attente. Sa mémoire lui affirma que, la dernière fois qu'il était passé là avant d'entrer dans les tunnels, ce morceau d'étoffe satinée n'y était pas. Il pressa le pas et, dans sa marche fiévreuse, ne remarqua pas que quelqu'un le guettait dans l'ombre.

Ben s'agenouilla près de la cape et tendit vers elle une main furtive. Le tissu était imprégné d'un liquide sombre et tiède, dont le contact lui paraissait vaguement familier et lui inspirait une répulsion instinctive. Sous la cape, il devinait les formes de ce qu'il supposa être les morceaux éparpillées d'un objet quelconque. Il sortit sa boîte d'allumettes et s'apprêtait à en gratter une pour examiner sa découverte de plus près, quand il constata que c'était la dernière. Résigné, il la garda pour une meilleure occasion et s'efforça de mieux voir, dans l'idée de recueillir le maximum de détails susceptibles de le mettre sur la piste d'un de ses amis.

— C'est une sacrée expérience, que de contempler ton propre sang répandu, n'est-ce pas, Ben ? dit Jawahal derrière lui. Le sang de ta mère, tout comme moi, ne trouve pas de repos.

Ben sentit le tremblement qui s'emparait de ses mains et se retourna lentement. Jawahal était assis à l'extrémité d'un banc de métal, sinistre roi des ombres sur son trône érigé au milieu des décombres et de la destruction.

— Tu ne me demandes pas où sont tes amis, Ben ? Tu as peut-être peur que la réponse ne soit guère encourageante ?

— Vous me répondriez, si je le faisais ? répliqua le garçon, immobile à côté de la cape ensanglantée.

— Pourquoi pas ? dit Jawahal en souriant.

Ben tenta de ne pas se laisser capter par le regard hypnotique de Jawahal et, surtout, d'écarter de son esprit l'idée absurde que quelqu'un, à l'intérieur de son cerveau, criait pour le convaincre que cette ombre funeste, avec laquelle il parlait dans un décor dérobé à l'enfer, était son père, ou ce qui en restait.

— Tu as des doutes, Ben ? demanda Jawahal, qui paraissait prendre plaisir à la conversation.

— Vous n'êtes pas mon père. Il n'aurait jamais fait de mal à Sheere, lança Ben nerveusement.

— Qui t'a dit que je lui ferai du mal ?

Ben haussa les sourcils. Jawahal tendit sa main gantée et l'imprégna du sang répandu à ses pieds. Puis il porta ses doigts ensanglantés à son visage et en barbouilla ses traits anguleux.

— Une nuit, il y a bien des années, Ben, la femme dont le sang est répandu ici a été ma femme et la mère de mes enfants, dont l'un porte ton nom. C'est curieux de voir comment les souvenirs se transforment parfois en cauchemars. Je la pleure encore. Ça te surprend ? Qui crois-tu être ton père ? Cet homme qui vit dans tes souvenirs ou cette ombre sans vie qui te fait face ? Qu'est-ce qui te fait croire qu'il existe une différence entre les deux ?

— La différence est évidente. Mon père était un homme bon. Vous n'êtes qu'un assassin.

Jawahal baissa la tête et acquiesça lentement. Ben lui tourna le dos.

— Notre temps est compté, dit Jawahal. L'heure est venue d'affronter notre destin. À chacun le sien. Aujourd'hui, nous sommes tous adultes, n'est-ce pas ? Sais-tu ce que signifie mûrir, Ben ? Laisse ton père te l'expliquer. C'est découvrir que tout ce en quoi l'on croyait quand on était jeune est faux et que, en revanche, tout ce qu'on refusait de croire est vrai. Quand penses-tu mûrir, Ben ?

— Je ne crois pas que votre philosophie m'intéresse, rétorqua le garçon avec mépris.

— Le temps se chargera de te la rappeler, mon fils.

Ben se retourna pour jeter à Jawahal un regard de haine.

— Que voulez-vous ?

— Je veux tenir ma promesse, la promesse qui maintient ma flamme en vie.

— Quelle est-elle ? Commettre un crime ? C'est ça, votre dernier fait d'armes avant de partir ?

Jawahal ferma à demi les yeux, d'un air patient.

— La différence entre un crime et un fait d'armes ne dépend que de la perspective de l'observateur, Ben. Ma promesse consiste à trouver un nouveau foyer pour mon âme. Et ce foyer, c'est vous qui me l'offrirez. Mes enfants.

Ben serra les dents et sentit son sang bouillir dans ses tempes.

— Vous n'êtes pas mon père. Et si vous l'avez été un jour, j'en ai honte.

Jawahal sourit paternellement.

— Dans l'existence, il y a deux choses que tu ne peux choisir, Ben. La première, ce sont tes ennemis. La seconde, c'est ta famille. Parfois, la différence entre les uns et l'autre est difficile à mesurer, mais le temps finit par nous enseigner que nos cartes auraient toujours pu être pires. La vie, mon fils, est comme la première partie d'échecs. Au moment où tu commences à comprendre comment on déplace les pièces, tu as déjà perdu.

Ben se précipita subitement sur lui de toute la force de sa rage contenue. Jawahal resta immobile à l'extrémité du banc et, quand le garçon traversa son image, la silhouette s'évanouit dans l'air pour ne plus être qu'une sculpture de fumée. Ben fut précipité à terre, et une vis rouillée qui dépassait de dessous le banc lui entailla le front.

— Une des choses que tu apprendras vite, dit la voix de Jawahal derrière lui, c'est qu'avant de combattre ton ennemi tu dois savoir comment il pense.

Ben essuya le sang qui coulait sur son visage et se retourna en cherchant cette voix dans l'ombre. La silhouette de Jawahal se découpait clairement, assise à l'autre extrémité du même banc. Pendant quelques secondes, le garçon eut la déconcertante sensation d'avoir tenté de traverser un mirage, victime d'un tour de passe-passe relevant d'une géométrie byzantine.

— Il ne faut pas se fier aux apparences, dit Jawahal. Tu devrais l'avoir compris dans les tunnels. Quand j'ai dessiné ce lieu, j'ai gardé en réserve diverses surprises que je suis seul à connaître. Tu aimes les mathématiques, Ben ? Les mathématiques sont la religion de ceux qui ont un cerveau, c'est pour cela que leurs adeptes sont si peu nombreux. C'est dommage que ni toi ni tes gentils camarades ne ressortirez jamais d'ici, car tu aurais pu révéler au monde quelques-uns des mystères que dissimule cette architecture. Avec un peu de chance, tu obtiendrais en retour les mêmes sarcasmes, la même jalousie et le même mépris que j'ai collectionnés quand je les ai inventés.

— La haine vous a aveuglé, elle vous aveugle depuis trop longtemps.

— Tout ce que la haine m'a fait, c'est de m'ouvrir les yeux. Et maintenant, tu vas devoir ouvrir grands les tiens, car même si tu me prends pour un vulgaire assassin, tu vas constater qu'il te reste une chance de sauver ta vie et celle de tes amis. Ce que, moi-même, je n'ai jamais eu.

La figure de Jawahal se dressa et s'approcha de Ben. Le garçon avala sa salive et s'apprêta à partir en courant. Jawahal s'arrêta à deux mètres de lui, croisa lentement les mains et les tendit devant lui avec une légère révérence.

— J'ai pris plaisir à cette conversation, Ben, dit-il aimablement. Maintenant, prépare-toi et cherche-moi.

Avant que Ben ait pu articuler un mot ou bouger un seul muscle, la silhouette de Jawahal se dispersa dans un tourbillon de feu et se projeta à travers la voûte à une vitesse vertigineuse en décrivant un arc de flammes. Quelques secondes plus tard, le faisceau de feu s'enfonça dans les tunnels comme une flèche ardente. Il laissait derrière lui une traînée de particules embrasées qui s'évanouirent dans l'obscurité, indiquant au garçon le chemin à suivre.

Ben lança un dernier regard sur la cape ensanglantée et pénétra de nouveau dans les tunnels, avec la certitude que, cette fois, quel que soit le chemin qu'il prendrait, toutes les galeries convergeraient sur le même point.

Les contours du train émergèrent dans les ténèbres. Ben contempla l'interminable succession de wagons qui exhibaient la cicatrice des flammes. Un instant, il crut se trouver face au cadavre d'un gigantesque serpent mécanique échappé de l'imagination diabolique de Jawahal. Il lui suffit d'approcher pour reconnaître le train qu'il avait cru voir traverser les murs de l'orphelinat quelques nuits plus tôt, enveloppé de flammes et transportant des centaines d'enfants qui se débattaient pour sortir de cet enfer perpétuel. Le train gisait maintenant, inerte et obscur, sans offrir le moindre indice permettant de supposer que ses camarades se trouvaient à l'intérieur.

Un pressentiment, cependant, lui donna à croire le contraire. Il laissa derrière lui la locomotive et parcourut lentement le convoi à leur recherche.

À mi-chemin, il s'arrêta pour regarder derrière lui et vit que la tête du train se perdait dans l'ombre. Au moment où il s'apprêtait à reprendre sa marche, il aperçut un visage d'une pâleur mortelle qui l'observait d'une des fenêtres du wagon le plus proche.

Ben tourna brusquement la tête et sentit son cœur bondir dans sa poitrine. Un enfant d'à peine sept ans le dévisageait attentivement, ses profonds yeux noirs rivés sur lui. La gorge serrée, il fit un pas dans sa direction. L'enfant ouvrit les lèvres et les flammes qui en jaillirent mirent le feu à son image comme à une feuille de papier qui se consumerait sous les yeux de Ben. Un froid glacial s'abattit sur sa nuque, et il

continua de marcher en ignorant l'atroce chuchotement des voix qui provenaient de quelque lieu caché
dans les profondeurs du train.

Finalement, après avoir atteint le wagon de queue,
il s'approcha de la portière et en tourna la poignée.
La lumière de centaines de veilleuses éclairait l'intérieur. Ben entra et vit l'espoir illuminer les visages de
Isobel, Ian, Seth, Michael, Siraj et Roshan. Il poussa
un soupir de soulagement.

— Nous voici maintenant au complet. Nous allons
peut-être pouvoir commencer à jouer, dit une voix
familière près de lui.

Le garçon se retourna lentement : les bras de Jawahal
entouraient sa sœur Sheere. La portière du wagon se
referma comme une porte blindée, et Jawahal lâcha
Sheere. La jeune fille courut vers Ben et l'étreignit.

— Tu vas bien ? demanda Ben.

— Mais naturellement, elle va bien, riposta Jawahal.

— Et vous tous ? demanda Ben, ignorant Jawahal,
aux membres de la Chowbar Society ligotés au sol.

— Parfaitement, confirma Ian.

Tous deux échangèrent un regard plus évocateur
que mille paroles. Ben acquiesça.

— Ceux qui portent des égratignures ne le doivent
qu'à leur propre maladresse, déclara Jawahal.

Ben se tourna vers lui en écartant Sheere.

— Dites clairement ce que vous voulez.

Jawahal eut une mimique étonnée.

— Nerveux, Ben, ou pressé d'en finir ? J'ai attendu
ce moment seize ans et je peux patienter encore une

minute. Particulièrement depuis que Sheere et moi jouissons de notre nouvelle relation.

L'idée que Jawahal ait pu révéler à Sheere sa véritable identité pendait au-dessus de Ben comme l'épée de Damoclès. Jawahal, paraissant avoir lu dans ses pensées, s'amusait de la situation.

— Ne l'écoute pas, Ben, dit Sheere. Cet homme a tué notre père. Tout ce qu'il peut nous faire n'a pas plus de valeur que la porcherie installée au-dessus de ce trou à rats.

— Dures paroles, concernant un ami, commenta tranquillement Jawahal.

— Je mourrais plutôt que d'être votre amie…

— Notre amitié, Sheere, n'est qu'une question de temps.

Son sourire placide disparut d'un coup. Sur un geste de sa main, Sheere, propulsée par un bélier invisible, fut projetée contre l'autre extrémité du wagon.

— Et maintenant, repose-toi. Nous serons très bientôt unis pour toujours…

Sheere heurta la paroi de métal et retomba par terre, inconsciente. Ben s'élança vers elle, mais la poigne de fer de Jawahal l'arrêta.

— Toi, tu ne vas nulle part.

Puis, dirigeant un regard glacé sur les autres, Jawahal ajouta :

— Le prochain qui parlera se verra clore les lèvres au fer rouge.

— Lâchez-moi, gémit Ben en sentant que la main qui lui serrait le cou était sur le point de lui désarticuler les vertèbres.

Jawahal le lâcha instantanément, et Ben s'écroula sur le plancher.

— Relève-toi et écoute. Je crois savoir que vous formez une espèce de fraternité dans laquelle vous avez juré de vous aider et de vous protéger mutuellement jusqu'à la mort. Est-ce vrai ?

— Ça l'est, confirma Siraj, accroupi par terre.

Un poing invisible frappa violemment le garçon et l'envoya valser comme une poupée de chiffon.

— Ce n'est pas à toi que je m'adresse, morveux ! Ben, as-tu l'intention de me répondre, ou préfères-tu que nous nous occupions de l'asthme de ton ami ?

— Laissez-le tranquille. C'est vrai, répondit Ben.

— Bien. Alors permets-moi de te féliciter pour le merveilleux travail que tu as accompli en amenant tes amis jusqu'ici. Une protection de première classe.

— Vous avez dit que vous nous laisseriez une chance, rappela Ben.

— Je sais que je l'ai dit. À combien estimes-tu la valeur de la vie de chacun de tes amis, Ben ?

Le garçon pâlit.

— Tu ne comprends pas ma question, ou tu veux que je te donne ma propre réponse ?

— La même valeur que la mienne.

Jawahal sourit aimablement.

— J'ai du mal à le croire.

— Je me fiche de ce que vous croyez ou ne croyez pas.

— Dans ce cas, nous allons vérifier si tes belles paroles correspondent à la réalité, Ben. Voici la règle du jeu. Vous êtes sept, sans compter Sheere. Elle, elle reste en dehors. Pour chacun de vous sept, il y a une boîte fermée qui contient… un mystère.

Jawahal indiqua une rangée de coffrets en bois peints de différentes couleurs, serrés les unes contre les autres comme des petites boîtes à lettres.

— Chacune a un orifice sur la face avant qui permet de glisser la main, mais pas de la retirer avant plusieurs secondes. C'est comme un petit piège pour les curieux. Imagine que chaque boîte contient la vie d'un de tes amis, Ben. En réalité, c'est bien le cas, car chacune renferme une tablette avec un nom. Tu peux introduire la main et la ressortir. Pour chaque boîte dans laquelle tu mettras la main et d'où tu retireras le sauf-conduit d'un de tes amis, je libérerai celui-ci. Mais, bien entendu, il y a un risque. Une de ces boîtes, au lieu de la vie, contient la mort.

— Qu'est-ce que vous voulez dire par là ?

— Tu as déjà vu une vipère, Ben ? Une petite bête à l'humeur versatile. Tu t'y connais en serpent ?

— Je sais ce qu'est une vipère, répliqua Ben en sentant ses genoux se dérober sous lui.

— Alors, je t'épargnerai les détails. Il te suffit de savoir qu'une de ces boîtes abrite une vipère.

— Ben, ne le fais pas ! s'écria Ian.

Jawahal lui lança un coup d'œil amusé.

— Ben, j'attends. Je crois que personne ne peut t'offrir de conditions plus généreuses, dans toute la ville de Calcutta. Sept vies et une seule possibilité d'erreur.

— Comment je peux savoir que vous ne mentez pas ?

Jawahal leva un long index et fit longuement non de la tête devant le visage de Ben.

— Mentir est une des rares choses que je ne fais pas, Ben. Maintenant, décide-toi. Si tu n'oses pas affronter le jeu et démontrer que tes amis te sont aussi chers que tu veux nous le faire croire, dis-le, et nous passerons ton tour à un autre qui aura plus de courage que toi.

Ben finit par acquiescer.

— Ben, non ! répéta Ian.

— Prie ton ami de se taire, Ben, ou c'est moi qui l'y contraindrai.

Le garçon adressa un regard suppliant à Ian.

— Ne me rends pas les choses plus difficiles, Ian.

— Ian a raison, dit Isobel. S'il veut nous tuer, il n'a qu'à le faire lui-même. Ne te laisse pas embobiner.

Ben leva la main pour réclamer le silence et fit face à Jawahal.

— J'ai votre parole ?

Jawahal le dévisagea longuement et finit par hocher affirmativement la tête.

— Ne perdons pas davantage de temps, conclut Ben en se dirigeant vers la rangée de boîtes qui l'attendaient.

Ben contempla soigneusement les sept boîtes de bois peintes de différentes couleurs et tenta d'imaginer laquelle contenait le serpent caché par Jawahal. Vouloir déchiffrer l'esprit dans lequel elles avaient été disposées revenait à reconstituer un puzzle sans connaître ce qu'il représentait. La vipère pouvait être dissimulée aux extrémités comme au centre, dans un coffret peint d'une couleur vive ou dans celui qui était revêtu d'un vernis noir. Toute supposition était superflue, et Ben découvrit que son cerveau était vide face à la décision qu'il devait prendre sur-le-champ.

— La première fois est la plus difficile, chuchota Jawahal. Choisis sans réfléchir.

Ben examina les yeux insondables et n'y trouva que le reflet de son propre visage, blême et apeuré. Il compta mentalement jusqu'à trois, ferma les paupières et introduisit brusquement la main dans une boîte. Les deux secondes qui suivirent furent interminables : il s'attendait à sentir le contact rugueux du corps couvert d'écailles et la piqûre mortelle des crocs de la vipère. Rien de cela n'arriva. Après cet atroce moment d'attente, ses doigts rencontrèrent une plaque de bois, et Jawahal lui adressa un sourire sportif.

— Bon choix. Le noir. La couleur de l'avenir.

Ben retira la tablette et lut le nom écrit dessus : Siraj. Il adressa un regard interrogateur à Jawahal, qui confirma. Le déclic des menottes qui retenaient le chétif adolescent fut clairement audible.

— Siraj, ordonna Ben. Descends de ce train et va-t'en.

Siraj frotta ses poignets endoloris et contempla, abattu, ses camarades.

— Fais ce que Ben te dit, indiqua Ian en essayant de rester maître de sa voix.

Siraj refusa d'un signe de la tête. Isobel eut un faible sourire.

— Siraj, pars d'ici, supplia-t-elle. Fais-le pour moi.

Le garçon hésita, déconcerté.

— Nous n'avons pas toute la nuit! lança Jawahal. Tu pars ou tu restes. Seuls les imbéciles ne profiteraient pas de ta chance. Cette nuit, tu as épuisé ta réserve de chance pour le reste de ton existence.

— Siraj! ordonna Ben d'un ton tranchant. Pars immédiatement. Aide-moi un peu.

Siraj lui adressa un coup d'œil désespéré, mais son ami ne modifia pas d'un pouce son expression sévère et impérative. Finalement, Siraj baissa la tête et se dirigea vers la porte du wagon.

— Ne t'arrête pas avant d'être arrivé au fleuve, recommanda Jawahal, ou tu t'en repentiras.

— Il ne le fera pas, répondit Ben pour lui.

— Je vous attendrai, gémit Siraj depuis la marche du wagon.

— À tout de suite, Siraj, dit Ben. Va-t'en, maintenant.

Les pas du garçon s'éloignèrent dans le tunnel. Jawahal haussa les sourcils pour indiquer que le jeu continuait.

— J'ai tenu ma promesse, Ben. Maintenant, c'est à toi. Il y a un coffret en moins. Ça facilite ton choix. Décide vite, et un autre de tes amis aura la vie sauve.

Ben posa son regard sur la boîte voisine de celle qu'il venait de choisir. Autant celle-là qu'une autre. Lentement, il tendit la main vers elle et s'arrêta à un centimètre de l'orifice.

— Tu es sûr, Ben? questionna Jawahal.

Ben le regarda, exaspéré.

— Réfléchis bien. Ton premier choix a été parfait. Ne va pas commettre une erreur maintenant.

Ben lui adressa un sourire méprisant et, sans le quitter des yeux, introduisit la main dans la boîte qu'il avait choisie. Les pupilles de Jawahal se rétrécirent comme celle d'un fauve affamé. Ben retira une tablette et lut un nom.

— Seth. Sors d'ici.

Les menottes de Seth s'ouvrirent à l'instant et le garçon se leva, nerveux.

— Ça ne me plaît pas, Ben, déclara-t-il.

— À moi encore moins. Pars, et assure-toi que Siraj ne s'est pas perdu.

Seth hocha gravement la tête, conscient que tout autre comportement, s'il ne suivait pas les instructions de Ben, mettrait en danger leur vie à tous. Il adressa un geste d'adieu à ses amis et gagna la porte. Une fois là, il se retourna et contempla encore une fois les membres de la Chowbar Society.

— On s'en sortira. D'accord ?

Ses amis acquiescèrent avec autant de conviction que les y autorisait la loi des probabilités.

— Quant à vous, dit Seth en s'adressant à Jawahal, vous n'êtes qu'un gros tas de fumier.

Jawahal se passa la langue sur les lèvres d'un air approbateur.

— C'est facile d'être un héros quand on sort sur ses deux jambes et qu'on abandonne ses amis à une mort certaine, hein, Seth ? Tu peux encore m'insulter si ça te fait envie, mon garçon. Je ne te toucherai pas. Ça t'aidera sûrement à mieux dormir quand tu te rappelleras cette nuit et quand plusieurs de ceux qui sont ici serviront de pâture aux vers. Tu pourras toujours raconter que toi, le courageux Seth, tu as insulté le méchant, pas vrai ? Mais au fond, toi et moi, nous connaissons la vérité, hein, Seth ?

La colère enflamma le visage de Seth et ses yeux lancèrent un éclair de haine. Il fit un pas en direction de Jawahal, mais Ben s'interposa violemment.

— S'il te plaît, Seth, lui chuchota-t-il à l'oreille. Pars tout de suite. S'il te plaît.

Seth regarda Ben une dernière fois et céda en lui serrant fortement le bras. Ben attendit qu'il soit descendu du wagon pour faire de nouveau face à Jawahal.

— Ça ne faisait pas partie de notre accord, protesta-t-il. J'arrête tout si vous ne me promettez pas de cesser de martyriser mes amis.

— Tu continueras, que tu le veuilles ou non. Tu n'as pas d'autre solution. Mais pour te prouver ma bonne volonté, je garderai mes commentaires sur tes amis pour moi. Et maintenant, la suite.

Ben observa les cinq boîtes restantes et arrêta son choix sur celle qui se trouvait le plus à droite. Sans autre préambule, il y glissa la main et tâtonna dedans. Une nouvelle tablette. Il respira profondément et entendit le soupir de soulagement de ses amis.

— Un ange veille sur toi, Ben, dit Jawahal.

Le garçon examina le rectangle de bois.

— Isobel.

— La demoiselle a de la chance, dit Jawahal.

— Taisez-vous, murmura Ben, fatigué des réflexions de Jawahal à chaque nouvelle étape de ce jeu macabre.

— Isobel, répéta-t-il. À tout à l'heure.

La fille se leva et passa devant ses camarades, baissant les yeux et traînant les pieds comme s'ils étaient collés au plancher.

— Tu n'as pas une dernière parole pour Michael, Isobel ? demanda Jawahal.

— N'insistez pas, dit Ben. Qu'est-ce que vous espérez, en faisant ça ?

— Choisis une autre boîte. Et tu verras ce que j'espère.

Isobel descendit du wagon et Ben passa mentalement en revue les quatre boîtes restantes.

— Ça y est, Ben ? s'enquit Jawahal.

Le garçon confirma et se plaça devant la boîte peinte en rouge.

— Le rouge. La couleur de la passion, commenta Jawahal. Et du feu. Vas-y, Ben. Je crois que cette nuit est ta nuit de chance.

Sheere entrouvrit les yeux et vit que Ben s'approchait de la boîte rouge, le bras tendu. Un vent de panique lui parcourut le corps. Elle se leva brusquement et, de toutes ses forces, se lança vers son frère. Elle ne pouvait accepter qu'il introduise la main dans cette boîte. La vie de ces jeunes gens n'avait aucune valeur pour Jawahal. Ils n'étaient pour lui que des prétextes pour pousser Ben à se détruire lui-même. Jawahal avait besoin que Ben en personne lui serve sa propre mort sur un plateau, dégageant ainsi la route. De la sorte, ce spectre maudit entrerait en elle et sortirait de ces tunnels transformé en être de chair et de sang. Un être jeune, qui le ramènerait dans le monde de ceux qu'il voulait anéantir.

Avant même de bouger un muscle, Sheere avait compris qu'il ne lui restait qu'une seule solution, une seule pièce du puzzle capable de défaire l'inextricable réseau d'intrigues que Jawahal avait tissé autour d'eux. Elle seule pouvait dévier le cours des événements en faisant l'unique chose au monde que Jawahal n'avait pas prévue.

Les instants qui se succédèrent ensuite se gravèrent dans son esprit avec la précision d'une collection d'images où ne manquait pas le moindre détail.

Évitant les trois derniers membres de la Chowbar Society accroupis par terre, mains liées, elle parcourut à une vitesse vertigineuse les six mètres qui la séparaient de son frère. Ben se retourna lentement. À sa première réaction de perplexité et de surprise succéda une expression d'horreur, en voyant Jawahal se lever et chaque doigt de sa main droite se transformer en une griffe de feu. Sheere entendit le cri de Ben se perdre dans un lointain écho. Elle se jeta contre lui, le fit tomber et arracha du même coup sa main qui était déjà à l'orifice de la boîte rouge. Tandis que Ben roulait à terre, elle vit la silhouette fantomatique de Jawahal se dresser devant elle et tendre ses griffes incandescentes vers son visage. Elle planta son regard dans les yeux de l'assassin et lut le refus désespéré qui se dessinait sur ses lèvres. Le temps sembla s'arrêter autour d'elle, tel un vieux manège de foire.

Quelques dizaines de secondes plus tard, Sheere glissait la main dans la boîte écarlate. Les lames qui encerclaient l'orifice se refermèrent sur son poignet comme les pétales d'une fleur empoisonnée. À ses pieds, Ben cria encore, alors que Jawahal brandissait son poing en flammes devant son visage. Elle rit, victorieuse, tandis que la vipère lui donnait le baiser de la mort. Puis l'explosion du venin embrasa le sang qui coulait dans ses veines, comme un feu de Bengale enflamme des vapeurs d'essence.

Ben entoura sa sœur de ses bras et arracha sa main de la boîte rouge, mais il était trop tard. Deux petites taches sanglantes brillaient sur la peau pâle, au dos de son poignet. Sheere, défaillante, lui sourit.

— Je vais bien, murmura-t-elle, mais, avant même qu'elle ait pu prononcer la dernière syllabe, ses jambes, succombant à un spasme invisible, refusèrent de la porter plus longtemps, et elle s'écroula.

— Sheere ! cria Ben.

Une nausée indescriptible s'empara de tout son être. Ses forces paraissaient s'échapper de son corps comme le temps s'écoule d'un sablier. Il saisit Sheere et la serra contre sa poitrine en caressant son visage.

Elle ouvrit les yeux et lui sourit faiblement. Son visage avait la blancheur de la chaux.

— Je n'ai pas mal, Ben, chuchota-t-elle.

Le garçon reçut chaque mot comme un coup de pied dans le ventre et leva la tête pour chercher Jawahal. Le spectre contemplait la scène, immobile, l'expression impénétrable. Leurs yeux se rencontrèrent.

— Ce n'est pas ce que j'avais prévu, Ben, dit Jawahal. Ça va rendre les choses plus difficiles.

Ben sentit la haine grandir en lui. Comme une grande déchirure, elle coupait son âme en deux.

— Vous êtes un répugnant assassin, murmura-t-il, dents serrées.

Jawahal adressa un dernier regard à Sheere, qui tremblait dans les bras de Ben, et hocha la tête. Ses pensées semblaient errer très loin.

— Maintenant, il n'y a plus que nous deux, Ben. Pile ou face. Dis-lui adieu et viens payer le prix de ta vengeance.

Le visage de Jawahal disparut derrière un masque de flammes. Sa silhouette de feu se retourna pour franchir la porte du wagon, laissant dans l'acier une brèche ouverte dont coulaient des gouttes en fusion.

Ben entendit le déclic qui indiquait l'ouverture des menottes immobilisant Ian, Michael et Roshan. Ian courut vers Sheere et, lui prenant le poignet, porta la blessure à ses lèvres. Il aspira avec force et recracha le sang empoisonné qui lui brûlait la langue. Michael et Roshan s'agenouillèrent devant la jeune fille et lancèrent un regard désespéré à Ben, qui se maudissait pour avoir laissé passer ces quelques précieuses secondes sans comprendre qu'il aurait dû faire ce que son ami s'était dépêché d'accomplir.

Il observa la traînée de flammes laissée par Jawahal sur son passage et qui faisait fondre le métal comme la braise d'un cigare traverserait une feuille de papier. Le train accusa une forte secousse et, lentement, commença de rouler dans le tunnel. Le fracas de la locomotive envahit les galeries souterraines du labyrinthe de Jheeter's Gate. Ben se tourna vers ses camarades et adressa un regard intense à Ian.

— Soigne-la, lui ordonna-t-il.

— Non, Ben, supplia Ian en devinant les pensées qui submergeaient l'esprit de son camarade. Ne pars pas !

Ben serra sa sœur dans ses bras et l'embrassa sur le front.

— Tu reviendras me dire adieu, Ben ? demanda la jeune fille d'une voix tremblante.

Le garçon sentit les larmes inonder ses yeux.

— Je t'aime, Ben, murmura Sheere.

— Je t'aime, répliqua-t-il en découvrant qu'il n'avait jamais dit ces mots à personne.

Le train accéléra rageusement en les entraînant dans le tunnel. Ben courut à la porte du wagon et évita la blessure fraîchement ouverte dans le métal au passage de Jawahal.

En traversant le wagon suivant, il s'aperçut que Michael et Roshan couraient derrière lui. Rapidement, il s'arrêta sur la plate-forme séparant les wagons pour arracher la clef qui reliait les deux dernières voitures et la lancer dans le vide. Les doigts de Roshan frôlèrent ses mains durant un dixième de seconde, mais, quand Ben releva la tête, ses amis restaient en arrière pendant que la locomotive l'entraînait à toute vitesse vers le cœur des ténèbres de Jheeter's Gate. Désormais, Jawahal et lui étaient seuls.

À chaque pas que faisait Ben en direction de la locomotive, le train prenait davantage de vitesse dans sa course infernale à travers les tunnels. La vibration qui secouait le métal le faisait tituber dans sa marche parmi les décombres derrière la traînée lumineuse des empreintes laissées par Jawahal. Il parvint à gagner la plate-forme suivante et se cramponna à la barre qui servait de garde-fou, pendant que le train enfilait une courbe en forme de demi-lune et plongeait dans une descente qui conduisait dans les entrailles de la terre. Puis, avec une nouvelle secousse, la locomotive accéléra encore et la boule de feu disparut dans l'obscurité. Ben se redressa et courut de nouveau sur les traces de Jawahal, tandis que les roues arrachaient aux rails des gerbes de métal en fusion comme le font les lames de patin sur la glace.

Il sentit une explosion sous ses pieds. Aussitôt, d'épaisses langues de feu enveloppèrent tout le squelette du train et firent voler en morceaux les fragments de bois carbonisé qui adhéraient encore à l'armature. Les dents de verre, qui entouraient les fenêtres sans vitres comme des crocs sortant de la gueule d'une bête mécanique, éclatèrent. Ben se jeta à plat ventre pour éviter la tempête d'éclats de verre qui vinrent frapper les parois du tunnel comme des éclaboussures de sang après un tir à bout portant.

Quand il put se relever, il distingua au loin la silhouette de Jawahal qui avançait entre les flammes, et il comprit qu'il était tout près de la machine. Jawahal se retourna. Ben, malgré les explosions de gaz qui formaient des anneaux de feu bleu et traversaient le train en traçant une folle tornade de poudre enflammée, aperçut son sourire meurtrier.

— Viens à moi ! entendit-il dans sa tête.

Le visage de Sheere brilla dans sa mémoire et il

entreprit lentement le trajet qui lui restait à parcourir pour arriver au premier wagon. En passant sur la plate-forme extérieure, il sentit une bouffée d'air frais : le train devait être sur le point de quitter les tunnels et se dirigeait, toujours plus vite, vers la gare centrale de Jheeter's Gate.

Ian n'arrêta pas de parler à Sheere pendant tout le trajet du retour. Il savait que si elle se laissait aller au sommeil, elle vivrait tout juste le temps de revoir la lumière qui existait au-delà des tunnels. Michael et Roshan l'aidaient à la porter, mais aucun des deux ne parvenait à lui arracher une syllabe. Ian, ensevelissant au plus profond de son âme le sentiment qui le rongeait intérieurement, racontait des anecdotes absurdes et tout ce qui lui passait par la tête, prêt, si besoin, à aller chercher jusqu'au dernier mot qui restait dans son esprit pour la maintenir éveillée. Sheere l'écoutait et acquiesçait vaguement.

— Où est Ben ? demanda-t-elle.

Michael regarda Ian. Celui-ci eut un large sourire.

— Ben est sauf, Sheere, répondit-il calmement. Il est allé chercher un médecin, ce que, vu les circonstances, je trouve insultant. Puisque le médecin, c'est moi. Ou ça le sera un jour. Tu parles d'un ami ! En voilà une manière de m'encourager ! À la première occasion, il ne trouve rien de mieux que de disparaître en quête d'un docteur. Heureusement que les médecins comme moi ne courent pas les rues. On naît médecin, et c'est tout. C'est pour ça que je sais, d'instinct, que tu vas guérir. À une condition : ne t'endors pas. Tu ne dors pas, hein ? Tu n'as pas le droit de dormir maintenant ! Ta grand-mère t'attend à deux cents mètres d'ici et je suis incapable de lui expliquer ce qui s'est passé. Si je le fais, elle me balancera dans le Hooghly et je dois prendre un bateau dans quelques heures. Donc, reste éveillée et aide-moi pour ta grand-mère. D'accord ? Dis quelque chose.

Sheere commença à haleter pesamment. Le visage de Ian perdit toute couleur et le garçon la secoua. Elle ouvrit de nouveau les yeux.

— Où est Jawahal ? demanda-t-elle.

— Il est mort, mentit Ian.

— Comment est-il mort ? parvint à articuler Sheere.

Ian hésita une seconde.

— Il est tombé sous les roues du train. On n'a rien pu faire.

Sheere esquissa un sourire.

— Tu ne sais pas mentir, Ian, murmura-t-elle en luttant pour prononcer chaque mot.

Ian sentit qu'il ne pourrait pas continuer beaucoup plus longtemps à jouer la comédie.

— Le menteur du groupe, c'est Ben ! s'exclama-t-il. Moi, je dis toujours la vérité. Jawahal est mort.

Sheere referma les yeux, et Ian fit signe à Michael et à Roshan de se hâter. Une demi-minute plus tard, la lumière de la fin du tunnel éclaira leurs visages et la colonne de l'horloge de la gare se dessina au loin. Quand ils y arrivèrent, ils virent Siraj, Isobel et Seth qui les attendaient. Les premières lueurs de l'aube

291

formaient une ligne écarlate sur l'horizon, au-delà des grandes arcades de Jheeter's Gate.

Ben s'arrêta devant l'entrée du premier wagon et posa les mains sur la poignée qui en assurait la fermeture. Elle était brûlante. Il la tourna lentement tandis que le métal lui mordait cruellement la peau. Un nuage de vapeur jaillit de l'intérieur. Il poussa la porte d'un coup de pied. Jawahal, immobile dans une dense masse de vapeur sortant des chaudières, le contemplait silencieusement. Ben observa la machinerie diabolique qui se dressait près de lui et identifia, gravé dans le métal, le symbole d'un oiseau montant au milieu des flammes. La main de Jawahal était posée sur la plaque palpitante de la chaudière et semblait absorber la force qui y brûlait. Ben examina l'enchevêtrement de tuyaux, valves et réservoirs de gaz qui vibrait près d'eux.

— Dans une autre vie, j'ai été inventeur, mon garçon, déclara Jawahal. Mes doigts et mon esprit pouvaient créer. Aujourd'hui, ils ne servent qu'à détruire. Voici mon âme, Ben. Approche, et regarde battre le cœur de ton père. C'est moi qui l'ai construit. Sais-tu pourquoi je l'ai appelé l'Oiseau de Feu ?

Ben, les yeux fixés sur Jawahal, ne répondit pas.

— Il y a des milliers d'années existait une ville maudite, presque autant que Calcutta. Son nom était Carthage. Lorsqu'elle a été conquise par les Romains, la haine que ceux-ci portaient aux Phéniciens était telle qu'il ne leur a pas suffi de la raser et d'exterminer ses femmes, ses hommes et ses enfants. Ils ont voulu en détruire chaque pierre et la réduire en poussière. Mais ce n'était pas encore assez pour assouvir leur haine. C'est pourquoi Scipion Émilien, le général qui commandait leur armée, a ordonné à ses soldats de répandre du sel jusque dans le moindre recoin de cette ville, pour que jamais ne puisse renaître un seul signe de vie sur ce sol maudit.

— Pourquoi me racontez-vous tout ça ? demanda Ben, qui sentait la sueur ruisseler de tout son corps et sécher presque immédiatement dans la chaleur asphyxiante que dégageaient les chaudières.

— Cette ville a été le siège d'une divinité, Didon, une princesse qui a livré son corps au feu pour apaiser la colère des dieux et se purifier de ses péchés. Mais elle est revenue et s'est transformée en déesse. Tel est le pouvoir du feu. Comme le phénix, un puissant oiseau de feu qui sème les flammes dans son vol.

Jawahal caressa la machinerie de sa création porteuse de mort et sourit.

— Moi aussi, j'ai pu renaître de mes cendres et, comme Scipion Émilien, je suis revenu pour semer le feu dans le sang de ma descendance et effacer à jamais celle-ci.

— Vous êtes fou. Surtout si vous croyez que vous pourrez entrer en moi pour rester vivant.

— Qui sont les fous ? Ceux qui voient l'horreur dans le cœur de leurs semblables et cherchent la paix, quel qu'en soit le prix ? Ou ceux qui feignent de ne pas voir ce qui se passe autour d'eux ? Le monde, Ben, est fait de fous ou d'hypocrites. Il n'existe d'autres races sur la surface de la terre que ces deux-là. On doit en choisir une.

Ben contempla longuement cet homme et, pour la première fois, il crut voir en lui l'ombre de celui qui, un jour, avait été son père.

— Et, toi, père, laquelle as-tu choisie ? Laquelle as-tu choisie en revenant semer la mort parmi ceux qui t'aimaient ? As-tu oublié tes propres paroles ? As-tu oublié le récit que tu as écrit sur les larmes de cet homme qui se sont transformées en glace quand il s'est aperçu, en revenant dans son foyer, que tous s'étaient vendus à ce sorcier itinérant ? Tu peux prendre ma vie, comme tu l'as fait avec tous ceux qui se sont mis sur ton chemin. Je ne crois pas que cela fasse pour toi une grande différence. Mais avant, dis-moi bien en face que tu n'as pas vendu, toi aussi, ton âme à ce sorcier. Dis-le-moi, la main sur ce cœur de feu où tu te caches, et je te suivrai jusqu'au fond de l'enfer.

Jawahal laissa tomber lourdement ses paupières et acquiesça avec lenteur. Une lente transformation parut s'effectuer sur son visage. Défait et abattu, son regard pâlit au milieu des vapeurs brûlantes. Le regard d'un grand fauve blessé qui se retire pour mourir dans l'ombre. Cette vision, cette soudaine image de vulnérabilité que Ben entraperçut pendant quelques secondes à peine, lui parut plus violente et plus terrifiante que toutes les précédentes apparitions de ce spectre tourmenté. Car dans cette vision, dans ce visage consumé par la douleur et le feu, Ben ne pouvait plus reconnaître un esprit assassin, mais seulement le triste reflet de son père.

Pendant un instant, tous deux s'observèrent comme de vieilles connaissances perdues dans la brume du temps.

— Je ne sais plus si j'ai écrit cette histoire ou si c'est un autre homme qui l'a fait, Ben, dit finalement Jawahal. Je ne sais plus si mes souvenirs sont miens ou si je les ai rêvés. Je ne sais plus si c'est moi qui ai commis mes crimes ou si ce sont d'autres mains que les miennes. Quelle que soit la réponse à ces questions, je sais que je ne pourrai plus jamais écrire une histoire comme celle que tu évoques, ni parvenir à en comprendre le sens. Je n'ai pas d'avenir, Ben. Ni aucune vie. Ce que tu vois n'est que l'ombre d'une âme morte. Je ne suis rien. L'homme que j'ai été, ton père, est mort depuis très longtemps, et il a emporté avec lui tout ce que je pourrais rêver. Si tu ne me donnes pas ton âme afin que je vive en elle pour l'éternité, alors, donne-moi au moins la paix. Car, maintenant, toi seul peux me rendre la liberté. Tu es venu pour tuer quelqu'un qui est déjà mort, Ben. Tiens ta parole, ou alors unis-toi à moi dans les ténèbres...

À ce moment, le train émergea du tunnel et fila à pleine vitesse sur la voie centrale de Jheeter's Gate, projetant ses nappes de flammes qui s'élevaient jusqu'au ciel. La locomotive franchit le seuil des grandes arcades de la structure métallique et continua sur les rails qui traçaient un chemin sculpté dans la lumière de l'aube naissante.

Jawahal ouvrit les yeux. Ben y reconnut l'horreur et la profonde solitude qui emprisonnaient cette âme maudite.

Tandis que le train parcourait les derniers mètres qui le séparaient du pont disparu, Ben chercha dans sa poche la boîte qui contenait sa dernière allumette. Jawahal plongea la main dans la chaudière à gaz et un jet d'oxygène pur l'enveloppa dans un tourbillon de vapeur. Son spectre se fondit lentement dans la machinerie qui hébergeait son âme, et le gaz transforma sa silhouette en un mirage de cendres. Ses yeux jetèrent un dernier regard, où Ben crut discerner l'éclat d'une larme solitaire glissant sur son visage.

— Libère-moi, Ben, murmura la voix dans son esprit. Maintenant ou jamais.

Le garçon tira l'allumette de la boîte et la gratta.

— Adieu, père, dit-il.

Lahawaj Chandra Chatterghee baissa la tête et Ben lança l'allumette enflammée à ses pieds.

— Adieu, Ben.

À cet instant, fugacement, le garçon perçut près de lui la présence d'un visage entouré d'un voile de lumière. Pendant que les flammes couraient tel un fleuve de poudre jusqu'à son père, ces deux yeux profonds et tristes le contemplèrent pour la dernière fois. Ben pensa que son esprit lui jouait un tour quand il reconnut en eux le même regard blessé que celui de Sheere. Puis la forme de la princesse de lumière fut submergée pour toujours par les flammes, la main levée et un faible sourire aux lèvres, sans que Ben puisse vraiment savoir qui était celle qu'il avait vue disparaître dans le feu.

L'explosion envoya son corps à l'autre extrémité du wagon, comme l'aurait fait une trombe d'eau invisible, et le projeta à l'extérieur du train en flammes. En tombant, il roula dans les broussailles qui avaient poussé le long des rails du pont. Le train poursuivit sa course mortelle sur la voie qui finissait dans le vide. Quelques secondes plus tard, le wagon où se trouvait son père explosa de nouveau avec une telle force que les poutrelles métalliques qui subsistaient du pont écroulé volèrent jusqu'au ciel. Une colonne de flammes monta vers les nuages de l'orage, dessinant un faisceau d'éclairs, et déchira le ciel comme un miroir lumineux.

Le train rencontra le vide. Le serpent d'acier et de flammes fut précipité dans les eaux noires du Hooghly. Une dernière explosion assourdissante ébranla le ciel au-dessus de Calcutta et fit trembler le sol.

L'ultime souffle de l'Oiseau de Feu s'éteignit, emportant avec lui pour toujours l'âme de Lahawaj Chandra Chatterghee, son créateur.

Ben s'arrêta et tomba à genoux entre les rails pendant que ses amis couraient vers lui depuis le seuil de Jheeter's Gate. Au-dessus d'eux, des centaines de petites larmes blanches pleuvaient depuis le ciel. Ben les sentit sur son visage. Il neigeait.

Les membres de la Chowbar Society se réunirent pour la dernière fois, en cette aube de mai 1932, près du pont disparu aux rives du fleuve Hooghly, face aux ruines de Jheeter's Gate. La neige réveilla la ville de

Calcutta, où personne n'avait jamais vu ce manteau blanc qui commença de recouvrir les coupoles des vieux palais, les ruelles et l'immensité du Maidan.

Pendant que les habitants sortaient dans les rues pour admirer ce miracle qui ne se reproduirait jamais, les membres de la Chowbar Society se retirèrent jusqu'aux ruines du pont et laissèrent le frère et la sœur seuls, Sheere dans les bras de Ben. Ils avaient tous survécu aux événements de la nuit. Ils avaient vu le train en flammes se précipiter dans le vide et une explosion de feu monter au ciel pour aller déchirer la tempête comme la lame d'un couteau de l'enfer. Ils savaient qu'ils ne reparleraient probablement jamais des événements de la nuit et que, s'ils le faisaient, personne ne les croirait. Pourtant, ce matin-là, ils comprirent tous qu'ils n'avaient été que des invités, des passagers occasionnels de ce train venu du passé. Peu après, ils contemplèrent en silence Ben qui étreignait sa sœur sous la neige. Lentement, le jour chassait les ténèbres de cette nuit interminable.

Sheere sentit le contact froid de la neige sur ses joues et ouvrit les yeux. Son frère la soutenait et lui caressait doucement le visage.

— Qu'est-ce que c'est, Ben ?

— C'est la neige. Il neige sur Calcutta.

Le visage de la jeune fille s'éclaira un instant.

— Je t'ai déjà parlé de mon rêve ?

— Voir neiger sur Londres. Je me souviens. L'année prochaine, nous irons là-bas ensemble. Nous rendrons visite à Ian pendant ses études de médecine. Il neigera tous les jours. Je te le promets.

— Tu te rappelles le conte de notre père, Ben? Celui que je vous ai raconté la nuit où nous étions au Palais de Minuit?

Ben fit signe que oui.

— Ce sont les larmes de Shiva, Ben, murmura Sheere laborieusement. Elles fondront quand le soleil sortira, et plus jamais elles ne tomberont sur Calcutta.

Ben souleva doucement sa sœur et lui sourit. Les profonds yeux perlés de Sheere le fixaient.

— Je vais mourir, n'est-ce pas?

— Non. Tu ne mourras pas avant des années. Ta ligne de vie est très longue. Tu vois?

— Ben, c'était la seule chose que je pouvais faire. Je l'ai faite pour nous.

Il l'entoura de ses bras.

— Je sais.

La jeune fille tenta de se lever et approcha ses lèvres de l'oreille de Ben.

— Ne me laisse pas mourir seule.

Ben détourna son visage du regard de sa sœur et la serra contre lui.

Ils restèrent ensemble ainsi, silencieusement enlacés sous la neige, jusqu'à ce que les battements du cœur de Sheere s'éteignent peu à peu, comme une veilleuse dans le vent. Les nuages s'éloignèrent lentement vers l'ouest, tandis que la lumière du matin chassait pour toujours ce linceul de larmes blanches qui avait couvert la ville.

*L*es lieux qui abritent la tristesse et la misère sont le foyer de prédilection des histoires de fantômes et d'apparitions. Calcutta recèle dans sa face obscure des centaines de ces histoires, des histoires auxquelles personne n'admet croire et qui, pourtant, continuent de vivre dans la mémoire des générations comme l'unique chronique du passé. On dirait qu'éclairés par une étrange sagesse les gens qui peuplent ses rues comprennent que la véritable histoire de cette ville a toujours été écrite dans les pages invisibles de ses esprits et de ses malédictions tues et cachées.

Peut-être est-ce cette même sagesse qui, dans ses dernières minutes, a éclairé le chemin de Lahawaj Chandra Chatterghee et lui a permis de saisir qu'il était tombé sans espoir de retour dans le labyrinthe de sa propre malédiction. Peut-être a-t-il compris, dans la solitude de son âme condamnée à ressasser sans fin les blessures de son passé, la véritable valeur des vies qu'il avait détruites et de celles qu'il pouvait encore sauver. Il est difficile de savoir ce qu'il a vu sur le visage de son fils Ben quelques secondes avant de permettre à celui-ci d'éteindre à jamais les flammes de la haine qui brûlaient dans les chaudières de l'Oiseau de Feu. Peut-être, dans sa folie, a-t-il été capable, pour une seconde, de retrouver la tendresse que tous ses bourreaux lui avaient confisquée depuis les jours de Grant House.

Toutes les réponses à ces questions, de même que ses secrets, ses découvertes, ses rêves et ses regrets ont disparu pour toujours dans la terrible explosion qui a déchiré le ciel de Calcutta à l'aube de ce 30 mai 1932, comme ces flocons de neige qui ont fondu en baisant le sol.

Quelle que soit la vérité, il me suffira de rappeler que, peu après la chute du train en flammes dans les eaux du Hooghly, la flaque de sang frais où s'était réfugié l'esprit tourmenté de la femme qui avait donné le jour aux jumeaux a définitivement disparu. J'ai su alors que les âmes de Lahawaj Chandra Chatterghee et de celle qui avait été sa compagne reposaient en paix pour l'éternité. Jamais plus je ne reverrai dans mes rêves le regard triste de la princesse de lumière en train de se pencher sur mon ami Ben.

Je n'ai pas revu mes camarades depuis le soir de ce même jour où j'ai pris le bateau qui devait me conduire en Angleterre. Je me souviens de leurs visages désolés, lors de leurs adieux sur les quais du fleuve Hooghly, pendant que le bateau levait l'ancre. Je me souviens des promesses que nous nous sommes faites de rester unis et de ne jamais oublier les événements que nous avions vécus ensemble. Je ne nierai pas qu'au moment même où nous les faisions, j'ai eu conscience que ces paroles étaient destinées à disparaître à jamais dans le sillage du bateau qui appareillerait sous le crépuscule enflammé du Bengale.

Ils étaient tous là, à l'exception de Ben. Mais aucun n'était plus présent que lui dans nos cœurs.

En me remémorant aujourd'hui ces journées, je sens que tous, ensemble et séparément, continuent de vivre dans un endroit de mon âme qui a clos hermétiquement ses portes à jamais en cette fin d'après-midi, à Calcutta. Un endroit où nous restons toujours des jeunes gens de seize ans à peine et où l'esprit de la Chowbar Society et du Palais de Minuit demeurera vivant tant que je le serai moi-même.

Quant à ce que le destin réservait à chacun d'entre nous, le temps a effacé beaucoup de traces de mes camarades. J'ai su que Seth, les années passant, a succédé au gros Mr De Rozio comme chef de la Bibliothèque et de la Documentation du musée hindou, ce qui a fait de lui l'homme le plus jeune qui ait jamais occupé ce poste dans l'histoire de cette institution.

J'ai eu également des nouvelles d'Isobel qui, quelque temps plus tard, s'est mariée à Michael. Leur union a duré cinq ans. Après leur séparation, Isobel est partie courir le monde avec une modeste compagnie de théâtre. Les années ne l'ont pas empêchée de garder ses rêves vivants. Michael, qui vit encore à Florence où il enseigne le dessin dans une institution, ne l'a jamais revue. Aujourd'hui, j'espère encore lire un jour son nom en gros caractères dans le journal.

Siraj est mort en 1946 après avoir passé les cinq dernières années de sa vie dans une prison de Bombay, accusé d'un vol que, jusqu'au dernier jour, il a juré ne pas avoir commis. Comme l'avait prédit Jawahal, il avait épuisé en une fois le peu de chance qui lui était échu.

Roshan est aujourd'hui un prospère et puissant commerçant, propriétaire d'une bonne partie des vieilles rues de la ville noire où il avait grandi comme un mendiant sans toit. Il est le seul qui, d'année en année, m'envoie rituellement une lettre pour me souhaiter un bon anniversaire. Par ses lettres, *je sais qu'il s'est marié et que le nombre de ses petits-enfants qui jouent à cache-cache dans ses propriétés n'a d'égal que le chiffre de sa fortune.*

En ce qui me concerne, la vie a été généreuse et m'a permis de parcourir en paix et sans privations cet étrange passage sur terre. Peu après la fin de mes études, la clinique du Dr Walter Hartley, à Whitechapel, m'a offert un poste, et c'est là que j'ai réellement appris le métier dont j'avais toujours rêvé et dont je vis encore. Il y a vingt ans, à la mort de mon épouse Iris, je me suis installé dans une petite maison de Bournemouth où j'ai à la fois mon domicile et mon cabinet, et d'où l'on aperçoit la côte de Poole Bay. Ma seule compagnie, depuis qu'Iris est partie, est son souvenir et le secret que j'ai un jour partagé avec mes camarades de la Chowbar Society.

Une fois de plus, j'ai laissé Ben pour la fin. Même aujourd'hui, alors que je ne l'ai pas revu depuis cinquante ans, il m'est difficile de parler de celui qui a été et sera toujours mon meilleur ami. J'ai appris, grâce à Roshan, que Ben est allé vivre dans ce qui avait été la maison de son père, l'ingénieur Chandra Chatterghee, en compagnie de la vieille Aryami Bosé. La force d'âme de la vieille dame n'a pas résisté au choc de la mort de Sheere, et elle a plongé irrémédiablement dans une longue mélancolie avant de fermer les yeux pour toujours en octobre 1961. Dès lors, Ben a vécu et travaillé seul dans la maison que son père avait construite. C'est là qu'il a écrit tous ses livres jusqu'à l'année où il a disparu sans laisser de traces.

Un matin de décembre, alors que tous, y compris Roshan, le donnaient pour mort, je contemplais la baie depuis le quai qui se trouve devant ma maison, quand j'ai reçu un petit paquet. L'emballage portait le cachet de la poste de Calcutta et mon adresse était libellée dans une écriture qu'il m'est impossible d'oublier, vivrais-je cent ans. Dedans, enveloppée dans plusieurs couches de papier, j'ai trouvé la moitié de la médaille en forme de soleil qu'Aryami avait divisée en deux quand elle avait séparé Ben et Sheere dans cette nuit tragique de 1916.

Ce matin, pendant qu'aux premières lueurs de l'aube j'écrivais les dernières lignes de ces mémoires, la première neige de l'année a étendu son manteau blanc devant ma fenêtre et le souvenir de Ben est remonté en moi à travers toutes ces années comme l'écho d'un murmure. Je l'ai imaginé en train de parcourir les rues animées de Calcutta au milieu de la foule, au milieu de mille histoires inconnues comme la sienne et, pour la première fois, j'ai compris que, comme moi, mon camarade est désormais un vieil homme et que les aiguilles de son horloge sont sur le point d'avoir fait le tour du cadran. C'est une sensation si étrange, que de constater que la vie nous a filé ainsi entre les doigts...

Je ne sais pas si j'aurai d'autres nouvelles de mon ami Ben. Mais je sais que, quelque part dans la mystérieuse ville noire, le garçon à qui j'ai dit adieu pour toujours le matin où il a neigé sur Calcutta reste vivant et garde allumée la flamme du souvenir de Sheere, rêvant du moment où ils seront de nouveau réunis dans un monde où rien ni personne ne pourra plus jamais les séparer.

J'espère, ami, que tu la retrouveras.

Table

Composition Interligne
Loncin

Dépôt légal : janvier 2012

Imprimé au Canada par
Transcontinental Gagné